十年屋与魔法街的朋友们 4

# 色彩屋

〔日〕广岛玲子 ◎ 著
〔日〕佐竹美保 ◎ 绘

任兆文 ◎ 译

北京科学技术出版社
100 层童书馆

# 目录

# 引子

第一个脚印的颜色，像原野绽放的花朵。

第二个脚印的颜色，像海中翻卷的波浪。

第三个脚印的颜色，像点缀山野的树叶。

第四个脚印的颜色，像掠过荒野的大风。

第五个脚印的颜色，像林间密布的苔藓。

第六个脚印的颜色，像唤醒白昼的太阳。

第七个脚印的颜色，像守护夜晚的月亮。

彩虹色的脚印，是通向色彩屋的路标。

色彩屋，把颜色送给你。

# 1

## 悲伤的肖像画

莎娜面无表情，呆呆地看着眼前的房间。

这是一间毫无生活情调的公寓，里面放置的家具只能勉强满足最基本的生活需要。桌子和椅子线条生硬，造型简单，而且都是用金属做的，看上去冷冰冰的，一点儿生活气息都没有。地板上没有铺地毯，墙纸是冰冷而单调的灰色……谁要是在屋里多待一会儿，都会觉得喘不过气来。

我竟然在这样令人窒息的房间里生活了十几年。一想到这儿，莎娜就有一种如梦初醒的感觉。

其实，金属家具和灰色墙纸并不符合莎娜的喜好。

莎娜喜欢暖色调的木制桌椅、有波点图案的窗帘和柔软的地毯。她还一直希望在自己的家里放一个摆满书的大书架，在桌子上装饰一个插满鲜花的花瓶。

莎娜能长期生活在这个与自己的喜好完全不一样的房子里，完全是因为她的恋人瓦罗喜欢冷色调的装饰。

莎娜与瓦罗是大学时认识的。两人学的都是美术专业，瓦罗身上那种自信的艺术家气质吸引了莎娜，令她深深着迷。后来她和瓦罗一起搬到了这间公寓，当时的她开心极了。

然而，与瓦罗生活在一起比想象中更艰难。

瓦罗非常任性，稍有不满就会像小孩子一样闹脾气。而且，他做事反复无常，有时还会离家出走，好几天都不回来。

每当这时，莎娜便会提心吊胆，担心他再也不回来了。久而久之，莎娜开始看瓦罗的脸色行事，生怕自己哪里做得不好，又让瓦罗不满意了。

她把家里的墙纸换成瓦罗喜欢的颜色，把家具都换成瓦罗喜欢的金属家具，一日三餐也只做瓦罗喜欢吃的菜肴。不仅如此，她连自己热爱的绘画都放弃了，因为瓦罗曾这样评价她：

"你的画太幼稚了，根本没有艺术表现力。你把画画当作兴趣玩玩就算了。要是想当艺术家，我劝你趁早打消这个念头。"

所以，莎娜目前在一家超市打工。她赚来的钱不仅要供两人日常消费，还要保证瓦罗画画的开销。

"艺术家要专心创作，我可不能为了赚钱做那些无聊的工作。"

因为瓦罗这句话，莎娜拼命工作，一个劲儿地给他买昂贵的颜料和画布。只要瓦罗对她说一句"谢谢你，莎娜，这个世界上只有你理解我"，莎娜就觉得自己的辛苦都是值得的。

可是最近，瓦罗很少回家了。莎娜越表现得很担心瓦罗，瓦罗对她的态度就越冷淡。

由于长期受到瓦罗的情绪操控，莎娜老得很快，甚至长出了一些白头发。

今天，莎娜收到了瓦罗的信，信上的措辞非常冷漠。

瓦罗说自己有了喜欢的人，要和那个人结婚。而且他不想再看到莎娜，也不想再和她联络。他留在公寓里的东西任由莎娜处置。

信上连一句温暖的话都没有，哪怕说一句"谢谢你这些年的陪伴"或是"和你在一起很开心"也好啊！更过分的是，他竟然说"以后不要来纠缠我"，莎娜感觉心都要碎了。

原来瓦罗这么讨厌我啊。一直以来，他都是我奋斗的动力，今后我该如何生活呢？

事发突然，莎娜毫无心理准备，她觉得自己的心和身体都被掏空了。她摇摇晃晃地倒下去，瘫坐在地板上发呆。这时，墙上挂着的一幅画映入了她的眼帘。

那是瓦罗为莎娜画的一幅肖像。画上，莎娜的皮肤和头发都是暗绿色的，眼睛里则盈满了粉色的泪水。兴许是因为这幅画挂在灰色的墙上，所以它看起来格外诡异。

只因为瓦罗说了一句"这是特意为你画的"，莎娜就一直把它挂在墙上。那个时候的瓦罗总会对她说数不尽的甜言蜜语。

莎娜灵光一闪。

"把这幅画拿给瓦罗看看怎么样？也许他能想起一些我们过往的美好时刻。"

总之，她想再见瓦罗一面，和他好好谈谈。

于是，莎娜把画从墙上取下，然后走出了家门。

她虽然不知道瓦罗现在住在哪里，但她知道瓦罗一个朋友的地址。她决定先去瓦罗的朋友那里打听打听他的去向。

怀着这个渺茫的希望，莎娜向前走去。然而，她走着走着就动摇了。

我这么做有用吗？瓦罗如今已经厌倦了我，难道仅凭这幅画就能让他回心转意吗？要是他说"我讨厌你"，我该怎么办呢？

莎娜越想越害怕，越想越感到悲伤、无助，她觉得眼前的一切都灰蒙蒙的。现在，在莎娜的眼中，灰色变成了最令人讨厌的颜色。她愤恨地想着，干脆把灰色变成全黑，什么都看不见才好。

就在莎娜被自己的负面情绪压得喘不过气时，四周渐渐起了雾。

雾越来越浓，不一会儿就将莎娜包围了。四周很安静，一点儿声音都没有。莎娜非常不安，有一种被全世界抛弃的感觉。

"怎么回事？这……这好奇怪啊！"

正当莎娜自言自语时，她发现远处的地面上出现了一个小小的光点。

仔细看就会发现，那个光点其实是个闪烁着淡粉色光芒的脚印。"啊！"莎娜忍不住叫了一声。然后她发现脚印不止一个。

这些脚印有的闪烁着大海般的深蓝色光芒，有的闪烁着深秋红叶般的鲜红色光芒，还有的闪烁着令人如沐春风的淡绿色光芒……就像有好多孩子在鞋底涂上不同颜色的颜料，一步一步踩在地上一样。

莎娜不由得跟着这些脚印往前走。她在浓雾之中慢慢前进，最终来到一个小小的院子里。这里铺满了绿油油的草皮，还立着一个招牌，上面用五颜六色的颜料写着：色彩屋，把颜色送给你。

"色彩屋，指的是这栋房子吗？"

莎娜目不转睛地盯着招牌后的房子。

那是一栋非常奇特的房子：外观看上去像一个放倒的大木桶，房顶竖着一根烟囱，窗户是圆形的；外墙上各种颜色重叠在一起，像裹了一层彩虹色的鳞片。

真是一栋造型奇特又神秘十足的房子。究竟什么样的人会住在这里呢？

就在莎娜自顾自思考时，房子的大门啪的一声打开了，一个小男孩探出头来。小男孩看起来七八岁的样子，身上穿着雨衣，头上戴着大大的雨衣兜帽，让人看不清他的长相。他的脚上蹬着一双长筒雨靴，肩膀上还趴着一只翠绿色的变色龙。

让莎娜大吃一惊的是，那只变色龙竟然开口说话了。

"呀，原来是有客人来了！欢迎来到色彩屋，请进吧。您是来找自己想要的颜色的吧？我们店里有很多颜色，不管您想要哪一种，我们都能为您提供。是吧，阿靛？你也说句话啊！"

"请进……"

男孩的声音很小，像说悄悄话一样，让人听不太清楚。

也许是太过惊讶了，莎娜迷迷糊糊地听从他们的话，走进了这家商店。

等回过神来，她发现自己已经站在了一间温馨的小房间内：天花板上吊着一盏圆圆的灯；桌子上的花瓶里插着可爱的野花；房间最里面有一个火炉，上面放着平底锅和汤锅——看样子他们俩平时是用这个火炉做饭的；一面墙上装着一个大大的架子，分为好几层，远远看去像装饰在墙上的条纹图案一样，架子上面几层还很空，但从中间往下已经摆满了各种颜色的小瓶子。

莎娜的目光一下子被这些小瓶子吸引了。

瓶子里装着五彩缤纷的颜料，有红色、珍珠色、蓝绣球色、蜂蜜色、落日色……简直比鲜花和宝石还要鲜艳闪耀。

"真漂亮啊！"莎娜情不自禁地发出一声赞叹。

忽然，她的目光落在其中一个小瓶子上。

那个瓶子里的颜料是天蓝色的，像夏日晴空般清新怡人。莎娜的心一下子就被打动了。

估计哪个颜料店都不会有这么澄澈的蓝色吧？啊，真想要！

就在莎娜不由自主地将手伸向瓶子时，变色龙开口了：

"这位客人，看来您已经找到自己想要的颜色了。"

莎娜回头一看，发现小男孩和变色龙不知何时来到了她身后。

"您先在椅子上休息会儿吧，我们来介绍一下本店。"变色龙继续说。

"好的。"莎娜找了一把椅子坐了下来。

"请喝牛奶……"小男孩说着，害羞地将一个马克杯递了过去。

莎娜感激地接过马克杯。闻着散发出淡淡甜味的牛奶，莎娜一时有些感慨。因为瓦罗讨厌牛奶，她已经好几年没有买过牛奶了。

"谢谢你。"莎娜发自内心地说。

小男孩害羞地低下了头，变色龙则滔滔不绝地讲了起来。

"那么，我来介绍一下。我们这家店可以为客人提供他们想要的颜色。店主是阿靛，而我是他的魔法使帕雷特。请多多指教。"

听到"魔法使"这个词，莎娜吓了一跳。也就是说，这个小男孩是……

"你是魔法师吗？"

阿靛没有作声，帕雷特替他答道：

"是的，他虽然年纪还小，却已经是可以操控色彩的魔法师了。"

"色彩……魔法师？"

"是的，阿靛能够从任何东西中提取颜色，再把这些颜色提供给有需要的客人。当然，这个服务不是免费的，我们会收取报酬。"

"要多少钱呢？"

"不需要钱，颜色的报酬当然也是颜色。阿靛会从客人带来的某样东西中提取颜色，然后留下它作为报酬。这就是我们店里的规矩，您明白了吗？"

"嗯。"

虽然感到不可思议，但莎娜听明白了：如果想得到那瓶天蓝色的颜料，她必须用自己随身携带的一样东西的颜色来交换。

莎娜将自己携带的那幅绿色的肖像画递给阿靛，问道：

"这幅画怎么样？可以从这幅画中提取颜色作为报酬吗？"

这幅画本来是要拿给瓦罗看的，但她现在打消了这个念头。比起让瓦罗回心转意，她现在更想要那瓶天蓝色的颜料。

阿靛一看到这幅画就小声嘟囔了一句。莎娜没听清他了说什么，帕雷特却听到了。它有些抱歉地说：

"对不起，客人，这幅画不行。"

"为……为什么？"

"嗯……阿靛说这幅画很空洞，他感知不到画中蕴含的感情，因此无法从中提取颜色。看来画这幅画的人相当肤浅啊！虽然刚才我说阿靛能够从任何东西中提取颜色，但是毫无意义或没有心意的东西是不行的。"

莎娜怅然若失地看着这幅画。

连小孩子都能看出来这幅画很空洞。也就是说，画这幅画的瓦罗其实是个浅薄无知的人，而且他在画我的肖像时没有注入一丝一毫的感情。

莎娜心中的幻想破灭了，她终于清醒过来。

是的，瓦罗很糟糕。也许，我比他更糟糕。就因为不想孤身一人，所以我才会一直赖着他。渐渐地，我失去了所有重要的东西——时间、金钱、梦想……就连当初劝我离开瓦罗的朋友也离我而去了。最重要的是，我失去了自信。唉，究竟怎样才能重拾自信呢？我已经一无所有了。

孤独和悲伤的情绪一瞬间涌上心头，莎娜感到非常空虚和无力，她忍不住大哭起来，大颗大颗的泪珠扑簌簌地滴落着。

就在这时，意想不到的事情发生了。

阿靛突然走到莎娜跟前，用手接住了她的眼泪。

随后，他脱下兜帽，露出了一头彩虹色的头发：金色、橙色、红色、绿色、淡蓝色、绛紫色、银白色。每种颜色的头发都闪烁着耀眼的光芒，像是在梦中才能见到的景象。而阿靛完整露出的脸庞也无比惹人怜爱。

不顾目瞪口呆的莎娜，阿靛用仿若银铃的嗓音唱起歌来：

春天，在原野上采摘吧。

黄色油菜花、紫色紫罗兰。

夏天，在山林中寻找吧。

蓝色鸢尾花、黑色的莓果。

秋天，在大山中捡拾吧。

红色的落叶、金色的橡子。

冬天，在森林中搜索吧。

银色槲寄生、绿色的柊树。

我收集的无穷无尽的宝贝，

全都送给你吧！

我提取的众多色彩，

一定能满足你的期待！


动人的歌声在小小的房间里回荡。

与此同时，金沙般的光芒闪烁着，眨眼间便聚集在阿靛的手掌心。

不一会儿，光芒渐渐消失了，一个小瓶子出现在阿靛的手上。瓶子里是如同凛冬的天空一般的灰色，其中还混着银色。光是看着这种颜色，人就会感到十分寂寞，很想依赖别人。


不要走，留下来。

我好寂寞，我好寂寞。

只要你留在我身边，

我什么都愿意做。


瓶子里的颜色似乎在默默啜泣，那是莎娜的哭诉。

莎娜看得目瞪口呆。一旁的阿靛重新戴上兜帽，小声说道：

"这是您的眼泪的颜色……您把它给我，就可以带走您想要的颜色了……"

"啊？这样就可以了吗？"

"这位客人，阿靛说可以就可以，快去挑选您喜欢的颜色吧。每个瓶子中的颜料都蕴含着魔法，只要滴一滴，任何东西都能被染上颜色。"

在帕雷特的催促下，莎娜紧张地站了起来。她来到架子前，拿起那瓶装有天蓝色颜料的小瓶子。

"我想要这种颜色。"

"呀，您挑了一种很棒的颜色呢！"帕雷特开心地说，"这是从一条美丽的串珠项链中提取的颜色。项链是一个女孩收到的生日礼物，因此，这个天蓝色也叫作庆生色。"

"庆生色……"

怪不得自己如此想要这种颜色，莎娜恍然大悟。

我终于摆脱了糟糕的过往，重获新生。从今天开始，我将是全新的我。

莎娜向阿靛和帕雷特道了谢，便小心翼翼地拿着小瓶子离开了色彩屋。

她刚往门外走出一步，眼前就出现了她熟悉的街道。她又回头看了看，木桶造型的彩虹色房子已经消失，阿靛和帕雷特也不见了。然而，这一切并不是梦，她手中紧握的天蓝色小瓶子就是证据。

"这世上的确有不可思议的事啊。"

莎娜发现自己不安的心不知什么时候平静了下来，她对瓦罗的爱和执着、失望和怨恨全都消失了。这是因为她内心积压的负面情绪全都化作眼泪的颜色，被阿靛取走了，而且现在，她手里还多了一瓶天蓝色的颜料。莎娜觉得它漂亮极了，光是看着它，她就觉得内心的每个角落都被染成了天蓝色。

"真清爽！"

莎娜打起精神，朝着自己家的方向走去。

她在脑海中酝酿了一个又一个计划。

首先，我要把那些冷冰冰的家具丢出去；其次，要把瓦罗的东西全部扔掉；最后，也是最重要的，就是改造壁纸，我已经忍了它好多年了。

对了，就用这瓶颜料给壁纸重新染色。帕雷特说过，只要滴一滴，任何东西都能被它染上颜色。

家里所有的墙壁如果都变成天蓝色，一定非常赏心悦目。

要是能把自己喜欢的花和动物画在这天蓝色的画布上，一定会更加美妙吧。

虽然莎娜已经很久没画过画了，但她突然想重拾画笔。

莎娜越想越开心，越想越兴奋，忍不住笑了出来。


色彩屋里，自莎娜走后，阿靛和帕雷特却一直盯着那瓶新得到的银灰色颜料。

帕雷特叹着气说：

"真是令人感到寂寞的颜色啊。那位客人一定遇到了令她非常难过的事情。现在你把她眼泪中的悲伤之色都取走了，她应该会感到轻松不少。不过，会有人想要这种颜色吗？"

"会有人想要的……"

"真的吗？"

"嗯！这种颜色也很漂亮……每种颜色都有自己独特的美……我相信一定会有人想要它的……"

阿靛一边说着，一边轻轻地把那瓶银灰色颜料放到了架子上。

"啊！"帕雷特突然叫出了声，"那位客人把这幅画落在咱们店里了，怎么办？我们赶快给她送去吧。"

"我想……她已经不需要这幅画了。"

"嗯，我也这么想。这幅画真糟糕啊，冷冰冰的绿色，再加上哭泣的女人，看着就毛骨悚然。既然如此，我们把这幅画给改造屋的都留婆婆送去吧，她一定能把它改造成美好的东西。"

"真是个好主意……"

阿靛十分赞同帕雷特的提议，于是拿起那幅画，朝改造屋的方向走去。

# 2

染色的花瓣

快了，这个花蕾马上就要开花了。

渡弘屏住呼吸，目不转睛地盯着眼前的爆爆花。

果然不出他所料，和黑色橡子差不多大的花蕾啪的一下绽开了，就像魔术师突然在指尖变出一朵花那样，令人惊喜万分。

然而，花瓣的颜色让渡弘感到失望。

"怎么又是粉色的啊……"

渡弘十分郁闷，一脚将花盆踢开。

为了培育出红白相间的花，渡弘已经尝试了很多次。他换了肥料，也授了国外进口的花粉，最终还是失败了。问题到底出在哪儿呢？

"唉，品评会马上就要开始了，难道今年又要输给由治了吗？"

五十六岁的渡弘一直醉心于园艺，他很擅长改良花的品种，已经成功培育出好几个新品种了，比如绿色的蔷薇、大红色的向日葵、蓝色的铃兰等。

最近几年，他迷上了爆爆花。这种花的花蕾在开花时会像爆炸般迅速绽开，很有特色。不过因为很容易进行改良，所以爱好者众多。大家每年都会举办品评会，互相切磋，看看别人又培育出了什么稀有颜色的爆爆花。

品评会同时还是个比赛，优胜者不仅能获得奖金，他改良的花种还可以进行拍卖。也就是说，只要赢得比赛就可以名利双收。所以，渡弘一直渴望在这个比赛中获胜。

然而这几年，拔得头筹的总是渡弘的劲敌由治。

"由治这家伙，真可恶！"

渡弘特别忌妒由治。别看由治平时看起来吊儿郎当的，其实他很擅长改良花的品种，而且品位独特，总是领先渡弘一步。

由治去年培育出了淡紫色的爆爆花，惊艳了众人。

为了培育出更特别的新品种，胜过由治，渡弘铆足劲儿努力了整整一年。

然而，事情并不如他想象的那般顺利。还有两个月就是品评会了，渡弘依然没有培育出符合自己期待的爆爆花。

我一定要培育出颜色更特别的爆爆花，让由治和其他人都为之惊叹！

温室外放了许多空花盆，渡弘打算在这些花盆里装上土，重新开始种爆爆花。

这次试试别的肥料吧。

他一边想，一边走出温室。然而，他刚走出来就被一片白雾包围了。不知何时，外面起了大雾，能见度只有三米左右，渡弘感到有些奇怪。

他四下张望，突然发现地上出现了一个粉色的小脚印。

仔细一看，脚印不止一个，而是有一串。更有趣的是，每个脚印的颜色都不一样，留下脚印的人似乎每走一步就要更换一次鞋底的颜料。

"究竟是谁在我的院子里搞这种恶作剧？"

渡弘小声发着牢骚，但又十分好奇，便沿着脚印向前走去，想要一探究竟。奇怪的是，即使是在浓雾中，他也能看清这些五彩缤纷的脚印。

脚印像路标一样指引着渡弘来到一栋陌生的房子前。这栋房子小小的，造型像一个木桶，各种颜色像鳞片一样堆叠着，紧紧覆盖在外墙上。

房门口立着一个招牌，上面写着：色彩屋，把颜色送给你。这些文字也是用不同颜色的颜料写成的。

色彩屋？好奇怪的名字。这里难道是……对，这里一定是传说中魔法师的家。也许我要时来运转了！

渡弘忍不住窃笑。

他再次仔细地观察了一下房子的外面。烟囱冒着烟，说明有人在家。好，就让我来会会这个魔法师吧。

渡弘清了清嗓子，尽可能挺起胸脯，然后伸手敲门。

门很快就开了，一个小男孩出现在渡弘面前。只见小男孩穿着一件带兜帽的雨衣，脚上蹬着一双长筒雨靴，看上去十分怪异。

渡弘有些吃惊，没想到来迎接自己的竟然是个小孩子。

也许这个小男孩是魔法师的徒弟吧。

渡弘调整了一下心情，开口说道：

"我……我好像收到了邀请。请问，邀请我的魔法师在家吗？"

这时，一个翠绿色的身影一闪而过，随即爬上了小男孩的肩膀。原来是一只小变色龙。变色龙转了转眼珠，连珠炮似的说：

"您误会了，您不是被邀请来的。是您需要我们的魔法，才会发现通往这里的路。"

"变色龙竟然会说话……哈……哈哈……怎么会有这么荒谬的事！"

渡弘勉强笑了几声。变色龙一脸无奈地看着他说：

"客人，既然您知道自己来到了魔法师的家，为什么就不愿相信变色龙会说话呢？这不是很正常的事吗？希望您不要大惊小怪。"

"那……那你是魔法师吗？"

"我怎么可能是魔法师呢？我叫帕雷特，是魔法使。魔法师在这儿呢，他叫阿靛，是这间色彩屋的主人。"

"魔法师竟然是个小孩子？"

看着眼前这个低头不语的小男孩，渡弘惊讶得睁大了眼睛。

感觉有些靠不住啊，一个小男孩……真的能使用魔法吗？

渡弘的心里打起了鼓。这时，一股烧焦的味道飘了出来。

"糟了！"帕雷特着急地大叫一声，"松饼煳了！阿靛，你忘记把平底锅从火炉上拿下来了！"

话音未落，阿靛和帕雷特急忙跑回了屋里。

渡弘顺势悄悄地探头朝房子里面张望。房间虽然不大，但布置得十分温馨。房间正中央放了一张桌子和两把椅子，里侧的墙壁上安装了一个吊床，另一面墙上装着一个多层的架子，架子上摆着许多像宝石一样闪闪发光的小瓶子。

小魔法师正站在火炉前，手忙脚乱地处理烧焦的平底锅。不一会儿，他从冒着黑烟的锅中抢救出一些又黑又扁的东西。

帕雷特有些难过地说：

"哎呀，我们的午饭泡汤了。阿靛，这样可不行呀，你不能因为来了客人就把平底锅放在火炉上不管啊。"

"对不起……"

"怎么办？要不然我们还是吃三明治吧。"

"嗯。但是真的要扔掉这些松饼吗？好可惜啊……"

"你的意思是要重新做吗？好吧，那就按你的意思来吧。啊，这位客人，请稍等片刻，您先在那边的椅子上坐一会儿，我们马上就好。"

"好……好的。"

渡弘刚坐到椅子上，就看到阿靛摘下了兜帽。他瞬间惊得瞪大了双眼，因为阿靛的头发有七种不同的颜色，就像彩虹一样。

真漂亮！我要是能培育出这种彩虹色的爆爆花，就一定能在比赛中胜出。

就在渡弘自顾自沉思时，阿靛将手伸向烧焦的松饼，用无比澄澈的声音唱起了歌：

春天，在原野上采摘吧。

黄色油菜花、紫色紫罗兰。

夏天，在山林中寻找吧。

蓝色鸢尾花、黑色的莓果。

秋天，在大山中捡拾吧。

红色的落叶、金色的橡子。

冬天，在森林中搜索吧。

银色槲寄生、绿色的柊树。

我收集的无穷无尽的宝贝，

全都送给你吧！

我提取的众多色彩，

一定能满足你的期待！

伴随着歌声，松饼开始发光，然后光芒慢慢地被阿靛吸到手中。

当歌声停止时，阿靛的手中出现了一个小瓶子，瓶子中闪耀着接近黑色的深棕色光芒。

"烧焦的颜色……我做出来了。"阿靛心满意足地喃喃道。

他将手中的小瓶子放到架子上，然后重新戴上兜帽，走到渡弘跟前，问：

"那个……请问，您有什么需求呢？"

阿靛又变成一开始那副不自信、扭扭捏捏的样子了，难以想象他刚才唱歌的时候会那么落落大方。

"吓了我一跳。原来你真的是魔法师啊。"

"是啊。阿靛是色彩魔法师，可以从任何东西中提取颜色，也可以制作出客人想要的任何颜色。看，那边架子上有许多小瓶子，全都是阿靛做出来的颜料。只要滴一滴，任何东西都能被染上颜色。"

"真的吗？任何东西都可以？那……花也能被染上颜色吗？"

"当然了。但是我觉得花还是原本的颜色最好看，根本没必要给它们染色啊。"

然而，渡弘完全不理会帕雷特说的话，他双眼放光，一心只想着用颜料染花的事。

用色彩屋的稀有颜料给自己培育的爆爆花染上颜色，虽然手段有些卑劣，但这样就能打败由治那家伙，在比赛中胜出，我就可以名利双收了！

渡弘已经想好了自己想要的颜色，因此当帕雷特问他时，他毫不犹豫地回答道：

"彩虹色，我想要彩虹色的颜料。"

"彩虹色啊……又是一种复杂的颜色。"

"做不出来吗？"

"可以的。这位客人，您运气很好，前几天阿靛刚从雨后的彩虹中提取出这种颜色。是不是，阿靛？"

"嗯……"

阿靛从架子上找出一个小瓶子。

"这是夏末的彩虹色……您看可以吗？"

渡弘一时无法张口回答，因为他被惊艳得喘不过气来——小小的瓶子里竟有彩虹在打着旋儿飞舞。红色、橙色、黄色、绿色、蓝色、青色、紫色，这七种颜色像七条彩带一样缠绕在一起，将瓶子塞得满满的。

这无与伦比的颜色，真的就像彩虹一样！我一定要得到它！

"真漂亮，我就要这种颜色。"

"能得到您的认可，真是荣幸之至。但是这瓶颜料不能免费给您，我们要收取报酬。"

"多少钱？"

"这里是魔法师的商店，当然不做金钱交易。我们店里的规矩是以颜色换颜色。"

"以颜色换颜色？"

"是的，您从随身携带的物品中选一样东西给我们就好，阿靛会像刚才那样从中提取颜色，作为您支付的报酬。"

"原来如此。"

什么东西才能满足这位小魔法师呢？我身上有什么东西能作为彩虹色颜料的报酬呢？

渡弘有些不安。他在裤子和园艺围裙的口袋里一通摸索，终于找到了一颗茶色的爆爆花的种子。这颗种子和向日葵的种子差不多大，拿在手里滑溜溜的。

这种东西肯定不行吧。正当渡弘想把它收回去时，阿靛走上前说：

"那个……"

"怎……怎么？"

"我想要……这颗种子。"

"啊？这种不起眼的东西也可以吗？"

阿靛用力地点了点头。

渡弘忍不住在心里窃笑：真划算，只用一颗爆爆花的种子就换了一瓶魔法颜料，稳赚不赔啊。

渡弘将种子递给阿靛，装模作样地说："既然你想要，那就给你吧。"

阿靛又一次唱起魔法之歌。

歌曲结束时，一瓶浓郁的金茶色颜料诞生了。颜料像熔化的铜一样闪耀着金属的光泽，渡弘怎么都想不到阿靛竟然可以从一颗小小的爆爆花种子中提取出这么漂亮的颜色。

难怪这个小魔法师想要这颗种子。

阿靛兴冲冲地将手中的小瓶子放到架子上，然后将那个装有彩虹色颜料的小瓶子递给了渡弘。

"给您……这是您想要的颜料。"

"谢谢，那我就收下了。"

渡弘攥紧手中的小瓶子，匆匆忙忙地离开了色彩屋。一踏出大门，他就回到了自己的庭院。

终于回到了属于自己的世界，渡弘松了一口气。他赶快跑到温室里，找到那盆已经开花的爆爆花。

这盆爆爆花的花瓣呈现出梦幻般的淡粉色，十分漂亮。可是对渡弘来说，这盆爆爆花却是一件失败的作品。不过幸好，他得到了这瓶颜料。

渡弘用颤抖的手打开小瓶子的盖子，然后往花盆的土里滴了一滴颜料。但他觉得一滴不够，就又加了两三滴。

然后，他瞪大双眼盯着花盆，等待着奇迹发生。


这一年的爆爆花品评会呈现出前所未有的热闹景象。

尤其是那株七彩爆爆花，一出场就受到大家的争相追捧。它的花蕊为红色，花瓣边缘呈紫色，整片花瓣呈渐变色，简直就像彩虹变成的鲜花一样，谁看了都会被吸引。

毫无疑问，这盆花成功夺冠。

"太漂亮了！"

"渡弘，恭喜你获胜！你是怎么培育出这盆花的呢？"

"我一定要在我家的庭院里种植这种花。等花结出了花种，可以卖给我吗？"

"请等一下！渡弘先生，我们是绿色花园销售公司的，主营业务是园艺植物售卖。请把这盆花卖给我们。我们公司可以想办法培育出更多种子，让更多人能买到这种花。至于价格，当然是由您来决定。"

"喂，你们也太狡猾了！渡弘先生，您要是考虑卖，请一定卖给我们鲜花乐园。"

"等等，多少钱都没关系，请一定卖给我！"

被大家团团围住的渡弘笑得合不拢嘴。

我终于赢过由治了！根本没人在意他培育的绛紫色爆爆花，大家都被我的七彩爆爆花俘获了。啊，真痛快啊！如果大家真想要这盆花，那就继续竞价吧，把价格抬得越高越好。

如渡弘所愿，七彩爆爆花最终以令人难以想象的天价成交了。买下它的人是一位大富豪的夫人，她也是个园艺爱好者。

渡弘收下富豪夫人的巨款时，根本掩饰不住脸上的喜悦。

他计划着如何使用这笔钱：先买一些一直以来舍不得买的东西，比如名酒、名牌轿车等。有了这笔巨款，他就算奢侈一把，也不必担心钱会花光。

就算这笔钱花光了，下次再培育七彩大丽菊出售就好了。

渡弘底气十足，因为他家里还有不少彩虹色的颜料，他想培育多少盆七彩花都可以。照这样下去，他变成亿万富翁指日可待。

渡弘想了一会儿，立刻决定出门买车。

然而……

几个月后，渡弘失去了一切——买下那盆七彩爆爆花的富豪夫人去法院起诉了他。

原来，富豪夫人回到家后就把渡弘的七彩爆爆花移栽到了她引以为豪的自家庭院中，然而移栽后新开出的花朵却是淡粉色的。

这个结果并不意外：一旦把七彩花移栽到普通土壤里，魔法自然就失效了，因为普通土壤里没有滴过彩虹色颜料。

不过，富豪夫人怎么会知道这些呢？

富豪夫人认为自己被骗了。她怒火中烧，将渡弘告到了法院。

渡弘没有办法，只好在法庭上将从魔法师那里得到彩虹色颜料并把它滴到土壤里给花朵染色的事和盘托出。

"这……这瓶颜料其实是一种肥料，是我进行品种改良的手段！"

渡弘慌张地大声辩驳，但大家都对他嗤之以鼻。

“没想到渡弘竟然靠魔法获胜。”

“这是作弊。”

“太卑鄙了！”

渡弘输了官司，不仅将赚来的钱全部还给了富豪夫人，还被取消了获胜资格。渡弘无法承受身边人异样的眼光，没多久就逃跑似的搬家了。

不过，他原来的房子一直没能卖出去，他曾经精心打理的庭院和温室很快就荒废了。

一天，一个小男孩路过渡弘的房子。那天明明是晴天，小男孩却穿着水蓝色的雨衣和长筒雨靴。他路过渡弘家杂草丛生的庭院时，停留了一会儿。

小男孩的雨衣兜帽上趴着一只变色龙，看到小男孩停步，它用尖尖的嗓音问道：

“怎么了，阿靛？你发现了什么漂亮的颜色吗？”

“嗯，你看……”

阿靛指了指眼前的围墙。

几簇淡粉色的爆爆花穿过庭院里破损的温室壁，越过围墙，垂在阿靛的面前。虽然无人照料，但它们兀自绽放，生机勃勃。

阿靛被这些花朵淡雅的粉色深深地吸引了。

"我……好想要这种颜色……"

"可以吧。这栋房子似乎荒废许久了，这些花已经没有主人了，你当然可以提取它们的颜色。"变色龙鼓励道。

于是，阿靛鼓起勇气将手伸到花朵上。

不一会儿，花瓣的淡粉色就变成了漂亮的淡粉色颜料。阿靛眯起眼睛看着手中柔和的颜色。

"真漂亮……"

"是啊，真好看！啊，说起花，我想到了那位说要给花染色的客人——就是那位想要彩虹色颜料的客人，也不知道他最后有没有把颜料给花用上。"

"花原本的颜色就是最漂亮的……"

"嗯，我也这么认为。"

小魔法师和变色龙说说笑笑，离开了这座荒废的庭院。

# 3

## 期待已久的毛衣

放学后，奈莉坐在学校花坛前的长椅上，用手中的棒针灵活地编织着毛衣。这股毛线要这样织，那股毛线要那样织……

　　深棕色和奶油色两股毛线交织在一起，渐渐形成了某种图案。奈莉乐在其中，不知不觉露出了微笑。

　　奈莉今年刚上大一，是学校手工社团的成员。她很喜欢缝纫，就连对技艺要求极高的刺绣对她来说也不成问题。不过奈莉最擅长的还是编织，织一条围巾只需要一天的时间。就连复杂的绞花图案，她也可以很快就织好。

　　此刻，奈莉正在给自己织一件冬天穿的毛衣。她想着，针脚要织得大些，穿着才舒服。

　　正当奈莉专注织毛衣时，她身后响起了一声赞叹。

"哇，你织得真好！"

奈莉吓了一跳。她回头一看，发现自己身后站着一个高个子男生。他体格健硕，一看就经常锻炼，长相也很帅气。

男生热情地向惊魂未定的奈莉打招呼：

"你好，我是划艇社团的赛格罗，今年大三。"

奈莉当然知道赛格罗的名号。他是他们大学里的风云人物，平常总是被一群人围着，比赛时更是有超多粉丝为他呐喊助威。

但奈莉并不是赛格罗的粉丝。整日围在赛格罗身边的大多是漂亮的女子啦啦队成员，奈莉觉得自己跟她们格格不入，所以并不想同她们一道尖叫着为赛格罗加油。她认为，像她这样不起眼的人，和赛格罗根本不会有什么交集。

是的，奈莉在人群中并不显眼。她每天都是差不多的打扮：深色的发带扎起一头黑发；连衣裙样式普通，不是褐色，就是暗绿色；身上也没有任何饰品。

奈莉自己也觉得奇怪，她为别人缝制衣服时，往往会挑选那些颜色好看又明亮的布料，可是给自己选的却总是暗沉的颜色。

如果说奈莉是在阴影中悄悄行走的黑猫，那么赛格罗就是在阳光明媚的草原上信步的威风凛凛的狮子——他们是完全不同的人。

可令奈莉没想到的是，此刻赛格罗就站在自己身后，还夸自己毛衣织得好。

奈莉的心怦怦直跳。她小声回应道：

"我知道你，你是划艇社团的王牌选手。"

"王牌选手？别这么说，我会不好意思的。你是手工社团的奈莉吧？我也知道你，你在刺绣比赛上拿了二等奖，对吧？你获奖的作品还被挂在了图书馆的展示区呢！我看了你的作品，觉得你太厉害了。那么精致的图案，你是怎么绣出来的呢？"

赛格罗探出身子，向奈莉的手边看去。

"你是在织毛衣吧？"他问。

"是……是的。"

"太厉害了！我以前还以为毛衣只能在商店里买

呢。我妈妈、我奶奶都不会织毛衣，所以我特别佩服
会织毛衣的人。"

"其……其实并不难，只要掌握了技巧，任何人
都可以轻松织出来。织一件毛衣，也就需要半个月的
时间。"

"这么快就可以织好吗？"

赛格罗瞪大了双眼。然后，他突然露出热切的表
情，向奈莉提了一个请求：

"我能拜托你为我织一件毛衣吗？今年我又长高了
一些，想要一件冬天穿的新毛衣。要是这件毛衣是手
工编织的就太好了。当然，我会付给你毛线钱和手工
费。可以吗？"

"可……可以。那我先给你量一下尺寸吧。"

奈莉的包里正好放了一个卷尺。她认真地量好赛
格罗的颈围、胸围、臂长等数据，一一记录在笔记本上。

在做这些准备工作的同时，奈莉问赛格罗：

"你对颜色和花纹有什么要求吗？"

"你来决定吧，只要是你织出来的就一定很好看。

不过……我有一个任性的请求，能不能请你在满月节之前织好？"

满月节是在秋末满月那天，到了晚上，整座城市都会点起明亮的灯，大家聚在广场上载歌载舞。在满月节的舞会上，不管是谁，只要受邀跳舞，就不能拒绝。因此，许多人都借此机会对自己平时想接近却不敢接近的人发出邀约，以求互相认识。

看来赛格罗也想在满月节上邀请别人跳舞。正因为如此，他才想要一件新毛衣吧。不过，他这么受欢迎，竟然还要主动邀请别人？

奈莉有些意外，但还是点了点头。

"没问题。我一定在满月节之前织好。"

"谢谢！我非常期待！"

赛格罗朝奈莉点了下头，就朝操场的方向跑去了。

奈莉望着赛格罗的背影，感到有些茫然。

刚才发生的事情是真的吗？该不会是我在做梦吧？学校里最受欢迎的人竟然会和我这么一个不起眼的人说话，还拜托我帮他织毛衣……不过，我的笔记本上确实写着他的身量尺寸，我应该不是在做梦。

奈莉终于回过神来，急忙赶去商店挑选毛线。这是她第一次为自己和家人以外的人织毛衣，而且对方还夸奖了自己的作品。奈莉暗下决心，这次要全力以赴，为赛格罗织一件最好的毛衣。

奈莉在毛线区认真地挑选了许久，最终买了触感柔软的深灰色粗毛线，因为这种颜色让人联想到冬天的大海。不过，奈莉觉得只用灰色会显得沉闷，于是她又买了亮闪闪的银色和蓝色毛线。她打算用这几种毛线织一种复杂又漂亮的花纹。

买好毛线后，奈莉就立刻开始编织。她没有对任何人说起这件事，因为她说不出口。况且，如果被赛格罗的那群粉丝知道，自己可能还会成为众矢之的。她可不想给自己惹麻烦。

所以，奈莉只要一想到自己在为赛格罗织毛衣就感到一阵紧张，最后她甚至都不敢在学校里织了。平时她很喜欢坐在校园的长椅上，沐浴着阳光做手工，这次却只能去自己家附近的公园。在学校时，奈莉也总是躲着赛格罗，因为赛格罗只要看见她，就做出要和她打招呼的样子。

我会好好给你织毛衣的，你就装作不认识我不行吗？我不想引起其他人的注意！

就这样，奈莉每天织毛衣时都偷偷摸摸的。还好她马上就要织好了。

一个周日的下午，天气晴朗，微风习习，奈莉像往常一样向公园走去。

她坐在熟悉的长椅上，拿起棒针准备继续织毛衣。

秋日凉爽的微风吹得树叶纷纷落下，也吹走了阳光带来的灼热，奈莉的心情好极了。

不过，能像这样在室外悠闲地织毛衣的日子不多了，因为冬天马上就要来了。

"趁现在，好好享受秋天的美好。"奈莉一边哼着歌，一边开始了今天的工作。

然而，美好的时光很快就被按下了终止键。

"喂，你停一停！"

一个刺耳的声音响起。

奈莉抬头一看，发现眼前站着一个身材苗条的漂亮女生。美得令人惊艳的脸庞加上一头精心打理过的金发，让这个女生耀眼得简直像是从画里走出来的一样。不过，她蓝色的眼睛里却透出一丝冷漠。

奈莉认出了眼前的女生，吓得缩成一团。这个女生是学校啦啦队的队长，跟赛格罗一样，是大三的学生。她常常跟在赛格罗身边，不让别人靠近赛格罗。她的名字好像是……

"米拉学姐。"

"啊，原来你知道我啊。既然如此，我就不必多费口舌了。听说你在给赛格罗织毛衣，是吗？"

"嗯……是的……"

"你现在织的就是那件毛衣吗？给我看看。"

奈莉来不及拒绝，米拉就一把将毛衣抢了过去。米拉的动作很粗鲁，奈莉真担心她会把自己织了这么久的毛衣扯坏。

不过，米拉好像没有这个意思，她很快就把毛衣还给了奈莉。

"嗯，就像赛格罗说的那样，你不愧是手工社团的，织得很不错嘛。不过很遗憾，你选来选去，竟然选了灰色。"

"什么意思？"

"你不知道吗？赛格罗最讨厌灰色了。你要是不想惹赛格罗生气，就不要把毛衣给他。"

说完，米拉甩着一头飘逸的长发转身离去，只剩下奈莉一个人留在原地，茫然地盯着手中的毛衣。

蓝色和银色的毛线在深灰色的毛衣上交织出漂亮的花纹，奈莉原本以为这一定非常适合赛格罗，米拉学姐却说赛格罗最讨厌灰色。可现在离满月节只剩下一周了，根本没时间买毛线重新织了。

"怎……怎么办……"

奈莉满脑子都是怎么补救毛衣的事，根本没顾上思考米拉学姐为什么突然出现在这里。

要是能换种颜色就好了。可怎么才能做到呢？

就在奈莉紧咬着嘴唇苦思冥想时，她突然感受到一股柔和的气息萦绕在四周。

她抬头一看，不由得瞪大了双眼。不知何时，四周起了浓雾。那灰白色的雾气潮湿厚重，将奈莉包裹得严严实实，还似乎吸收了所有的声音，让她完全听不到任何声响。

奈莉有些不安，她决定赶快回家。就在这时，她看见了一连串色彩鲜艳的脚印：粉色、蓝色、红色、紫色……这些不同颜色的脚印通向远方某处。不知为何，奈莉总觉得它们在对她说："请跟我来。"

浓雾迟迟不散，于是她决定跟着脚印往前走，毕竟现在她能看清的只有这些脚印了。

奈莉往前走了几步，突然反应过来：我现在还在公园里吗？为什么感觉脚下踩着的不是草坪，而是石板路？而且树木和青草的味道也消失了。很奇怪，真的很奇怪。

奈莉虽然疑惑不解，却还是忍不住跟着那些脚印往前走。

过了好一会儿，地上终于看不到新脚印了，奈莉眼前出现了一栋建在一个绿色庭院中的房子。房子从外面看像个木桶，外墙是彩虹色的。房子的造型简直太可爱了，外墙五彩缤纷的颜色更是给人带来一种欢快的感觉。

奈莉目不转睛地盯着眼前的房子，不由得想：住在里面的人，究竟是什么样的呢？

房子里似乎有交谈声，奈莉忍不住侧耳倾听。

"你不仅给我们送来小点心，还帮我们清理了火炉，真是太感谢了。"

"不必客气，都是我力所能及的小事。"

"请喝杯茶吧……"

"对对，你就听阿靛的，留下来喝杯茶再走吧。"

"我很想留下来喝茶，但是恐怕不行啊，我还得回去准备晚餐呢。"

"这样啊，当个管家猫真不容易啊。那你下次有空再来喝茶吧，到时把十年屋先生也叫上。"

"好，一言为定。"

"请替我向十年屋先生问好……"

"好的，我一定转达。"

对话结束，房子的大门啪的一声打开了。

奈莉目瞪口呆，因为从屋里走出来的竟是一只猫！

那是一只毛发光亮的橘黄色大猫，它有一对鲜艳的绿宝石色眼睛，身上穿着带有刺绣的黑色马甲，脖子上还系着蝴蝶领结。最奇怪的是，它竟然像人类一样直立行走。

大猫注意到被吓了一跳的奈莉，回过头朝门内说："似乎有客人来了。"然后朝奈莉轻轻点了点头，转身向浓雾中走去。

奈莉目送着大猫远去的背影。这时，她身后传来一个声音。

"哇，真的有客人来了。欢迎光临！"

奈莉转过身，看到一个七八岁的小男孩。小男孩的打扮非常奇怪：身穿雨衣，脚蹬长筒雨靴，头上还戴着雨衣的大兜帽，让人看不清他的脸。一只变色龙趴在他的肩膀上，一脸开心地说：

"今天真是幸运的一天，不仅有客来喜送曲奇饼干，还有客人上门，简直太完美了！是不是，阿靛？"

"嗯……欢迎光临。"

奈莉瞠目结舌地看着眼前的男孩和变色龙。

突然出现的雾气，将自己引到这栋木桶房子的脚印，像人一样直立行走的猫，会说话的变色龙，神秘的小男孩……啊，这一切是怎么回事？

奈莉终于意识到一件事……

"魔……魔法……？"

她的声音太小了，小男孩和变色龙似乎都没有听见。变色龙带着歉意继续说：

"这位客人，真是对不起。阿靛话很少，还非常害羞，一般都是我这个魔法使替他说话，请您谅解。"

"魔法使……这么说，你真的是魔法师吗？"

被称为阿靛的小男孩看着瞪大双眼的奈莉，害羞地点了点头。

变色龙告诉奈莉自己叫帕雷特，然后继续热情地说道：

"正好屋子收拾得差不多了，这位客人，您快进来

吧，有什么需求进屋再说。您口渴吗？我们给您泡杯
茶吧。正好客来喜送了曲奇饼干，我们一起吃吧。"

"谢……谢谢。"

盛情难却，奈莉走进了魔法师的家。屋内收拾得
非常整洁，看起来很舒适。奈莉还发现一面墙壁前的
架子上摆了许多五颜六色的小瓶子。

真是个神奇的地方。奈莉一边感叹，一边坐到了
椅子上。阿靛端来一杯热茶和一些抹了无花果酱的
曲奇饼干。茶和饼干都很美味，奈莉暗自松了一口
气，感觉自己原本紧绷的身心都慢慢松弛下来。

帕雷特趁着奈莉品尝茶点，向她介绍了阿靛和店
铺的情况。

它告诉奈莉，阿靛是魔法师，可以从各种各样的
物品中提取颜色。这栋木桶房子既是他们的家，又是
售卖颜色的商店——色彩屋。正因为奈莉对颜色有需
求，所以通向色彩屋的路才会对她开放。

虽然帕雷特的话听上去非常不可思议，但是奈莉
并不怀疑，因为她确实想要一种颜色。

"也就是说，你们可以把我想要的颜色卖给我？"

"是的。不过，虽说是卖，但我们不收钱，我们只需要从客人随身携带的一样物品中提取颜色作为报酬。那么，您想要什么颜色呢？"

"我不知道……"

奈莉诚实地回答。

她是因为想要改变毛衣的颜色才来到这里的，至于要改成什么颜色，她毫无头绪。

奈莉鼓起勇气，将她受赛格罗委托并努力为他织毛衣的事告诉了阿靛和帕雷特，连自己选了赛格罗最讨厌的颜色这件事也说了出来。

"所以，我想要改变毛衣的颜色。只是我也不知道该选什么颜色，我很担心又选到赛格罗讨厌的颜色。"奈莉垂头丧气地说。

一旁的阿靛轻轻地将自己的小手覆在奈莉的手上，又轻轻地说：

"别担心……"

"嗯？"

"每种颜色都很好看。客人您选的灰色也很好看。"

"我也这么觉得。但是……给讨厌灰色的人织一件灰色的毛衣，总感觉不太好……"

阿靛不解地歪着头。

奈莉看着他一脸纳闷的样子，逐渐明白了一件事：这个小男孩是真心喜欢每一种颜色，所以他无法理解讨厌一种颜色是什么感觉。

然而，帕雷特似乎理解奈莉的复杂心情。它安慰奈莉说：

"先不要想这么多，您可以先看看架子上的颜料。那些都是阿靛制作好的颜色，也许里面会有您喜欢的。就算没有，它们也能为您带来灵感，说不定您很快就知道自己想要什么颜色了。然后您只需要告诉阿靛，他很快就能制作出来。快去看看吧，客人。"

"好……好的。"

奈莉起身走到架子前，仔细地打量起那些瓶子中的颜色来。

不愧是魔法师制作的颜色，每种都很漂亮，连大家平常不会细看的深褐色和不起眼的黑色都各自闪烁着神秘的光芒。也许正如阿靛所说，每种颜色都很好看。奈莉看着这些小瓶子，渐渐明白了阿靛的想法。

奈莉不知不觉沉迷其中。突然，一个小瓶子映入她的眼帘，奈莉顿时心跳加速。

这个瓶子中的颜料是一种偏深的紫红色，鲜艳的红色和浓郁的紫色融合在一起，变成了绝妙的紫红色，让人不禁联想到成熟的葡萄。

奈莉一下子就被吸引了，她的脑海里全是赛格罗穿着这种颜色的毛衣的模样。

啊，这种颜色和赛格罗晒得黑黝黝的皮肤非常相衬，而且夏天经常看到他穿红色的衬衫，他应该会喜欢这种紫红色的。

"这种……这种颜色很好看。"

"它叫千日酒红色。"

"好奇怪的名字。"

"有一位酿酒师花了九百九十九天等待自己酿的葡萄酒熟成，这种颜色就是在第一千天终于可以开瓶享用时，从倒出的第一杯酒中提取出来的。这是一种充满热情的颜色，让人看了就忍不住兴奋呢！"

"嗯，它真的很漂亮。那个……也许现在我身上没有能与它相媲美的颜色，但我一定会尽我所能满足你们的要求，可以把这种颜色卖给我吗？"

阿靛看着拼命恳求的奈莉，温柔地笑了笑。

"别担心……您身上有我想要的颜色……"

"真……真的吗？我要给你哪个东西？"

"把那条发带给我吧……"

奈莉十分惊讶，但还是将手伸向头上的发带。不过是一条用来绑头发的发带而已，颜色也很不起眼，魔法师竟然想要它？

阿靛开心地点了点头。紧接着，他脱下兜帽，露出闪闪发光的彩虹色头发。

此时，站在奈莉面前的已经不是那个看似普通的小男孩了，而是一位真真正正的色彩魔法师。

在屏息以待的奈莉面前，阿靛用美妙的声音唱起了歌。

那是一首神奇的歌曲，充满了魔法的力量。歌声源源不断地流入奈莉的内心，唤起了她从前的记忆……

一条闪闪发光的淡紫色发带渐渐浮现在奈莉的脑海中。

那曾是奈莉最喜欢的薰衣草色发带，上面点缀着银色的小珠子，亮晶晶的，很漂亮。

可是，当她戴着这条发带去看望姨妈时，姨妈却教训了她一顿：

"哎呀，你这孩子穿戴得这么花哨像什么样子，快去换上那条藏蓝色的发带！藏蓝色更适合你，戴上它，你才像个有家教的好孩子。"

也许姨妈是出于善意才这么说的，但是对小孩子来说，被迫放弃自己喜欢的东西是一件很痛苦的事。

从那之后，奈莉穿戴亮色衣物的次数就越来越少了，她觉得自己不适合那些颜色。

阿靛的歌声让奈莉一下子回忆起了当时被姨妈教训后的心情。不过这种心情并没有留在奈莉心中，而是被吸进了阿靛手中。

随后，用奈莉的心情和发带制作的新颜色出现了。那是一种沉稳的褐色，同时混合着金色、银色和薰衣草色的光芒，让人不由得联想到在空中飞舞的轻盈的肥皂泡。整个颜色给人一种一直被压抑的欢快想要破茧而出的感觉。

竟然能从那么不起眼的发带中提取出这么漂亮的颜色！奈莉有一种想要落泪的冲动。

阿靛看起来也十分满足。

"我正想要这种颜色……谢谢您，这位客人……请您收下千日酒红色吧。"

"谢谢。"

奈莉一扫童年的阴霾，开心地收下了这种自己想要的颜色。

回过神时，奈莉发现自己回到了公园里，还是坐在原来的那张长椅上。


那天之后，奈莉就变得有些不一样了，她开始穿自己真正喜欢的颜色的衣服：薰衣草色的连衣裙、淡蓝色的开衫、薄荷色的短裙……同学们看到奈莉身上颜色鲜亮的衣裙，纷纷夸赞她：

"奈莉，你变漂亮了！"

"你很适合这种颜色。"

"这种打扮感觉更像真正的你，真好看。"

每次被同学夸赞后，奈莉都会微笑着说"谢谢"，并在心里深深地感谢色彩魔法师阿靛。

姨妈当年无心的话语似乎成了难以解开的古老咒语，紧紧地束缚着奈莉。是阿靛将她从束缚中解救出来。多亏了阿靛，奈莉才慢慢找回了原来的自己。

真是太开心了！

心情变好了，织毛衣的进度也加快了。

距满月节还有两天的时候，奈莉织好了毛衣。也就在那天，飒爽的秋风悄悄变成了凛冽的冬风。

奈莉仔细打量着织好的毛衣，觉得非常满意——针脚一点儿没乱，花纹也非常漂亮。然后，她往毛衣上滴了一滴千日酒红色颜料，灰色的毛衣立刻变成了漂亮的酒红色。

赛格罗应该也会满意的吧。

奈莉决定将毛衣给他送去。

赛格罗和划艇社团的其他成员正在操场上举哑铃。虽然天气有点儿冷，但大家都认真地训练着。

和往常一样，有许多粉丝围在赛格罗身边，兴奋地大声叫嚷，其中之一便是米拉。

如果换作以前，奈莉看到这种场景一定会迅速逃离，但现在的她已经不觉得这种场面有多可怕了。

只不过是把赛格罗拜托我织的毛衣给他而已，我并没有做什么亏心事，所以不用担心被人说闲话。

她深吸一口气，大大方方地朝赛格罗走去。

"哎，那个人是谁啊？"

"没见过啊，不过她也太不知天高地厚了，竟然主动接近赛格罗。"

奈莉丝毫不理会旁人的闲言碎语，神色自若地走到赛格罗面前。赛格罗立刻注意到了奈莉，对着她微微一笑。

"奈莉！好久不见，你找我有什么事吗？"

"毛衣织好了，我给你送来。"

"啊！毛衣？是我拜托你织的那件吗？"

奈莉将毛衣递给有些惊讶的赛格罗。此时的他看上去像盛夏的太阳一样耀眼。

"哇！太好了！那天之后，我总觉得你在躲着我。我还以为你不会帮我织毛衣了呢！啊，我太高兴了，我竟然真的收到了手工编织的毛衣。"

"那……那你满意吗？"

"当然了！这个颜色很好看，花纹也很漂亮！我今天就穿上。"

看到赛格罗像个孩子一样兴高采烈，奈莉情不自禁地笑了。她真庆幸自己坚持织完了毛衣。

"等一下！"

这时，米拉尖锐的声音突然响起。她跑到奈莉和赛格罗中间，怒目圆睁，恶狠狠地对奈莉说："这件毛衣不是你织的吧？你织的那件不是灰色的吗？这件肯定是你从哪里买来的！"

"不……不是的，我给毛线重新染了色。"

"不要狡辩了，不管你使用什么样的染料，只要是在原来灰色的基础上染，颜色都会十分暗淡，不可能染成这么漂亮的酒红色。你不惜说谎也要引起赛格罗的注意，真不像话！"

米拉一副咄咄逼人的样子，奈莉根本没有辩驳的机会。

这时，赛格罗突然大喊一声：

"够了！"

他生气地皱起眉头，抱起胳膊。看到他气呼呼的样子，不仅是米拉，连奈莉都吓了一跳。

看到赛格罗这么生气，米拉立刻改变了态度，用柔和的声音小声说道：

"赛格罗，我说的是真的。这件毛衣不可能是她亲手织的，我亲眼看到她织的是灰色的。"

"这件事和你没关系吧，"赛格罗冷冷地说，"不管这件毛衣原本是不是灰色，是不是她亲手织的，都无关紧要，我想要的只是让她亲手把毛衣送给我而已。"

"为……为什么，赛格罗？"

"因为我喜欢的人给我送礼物，我当然开心了！"

操场一下子安静下来。

米拉脸色发青，看上去十分郁闷。奈莉也愣住了。

"啊……不会吧？！赛格罗，你……"

"啊，不是吧？"

"你不能这样，赛格罗！"

赛格罗不顾众人的错愕和不满，红着脸走到奈莉面前，说道：

"奈莉，就是这么回事。对不起，我本来想在满月节邀请你跳舞，然后再和你说这些的。我现在去换衣服，你可不可以等等我？我想跟你好好聊一聊。"

"好……"

"那你等我，一定要等我！"

赛格罗飞快地跑了。奈莉看着他远去的背影，终于回过神来。

因为是我送的毛衣，所以他才想要？

奈莉的脸颊像起了火一样发烫，那颜色一定和她给赛格罗织的毛衣一样红。

奈莉感到十分不好意思，恨不得立刻逃走。就在这时，赛格罗跑了回来。

"让你久等了，我们走吧。"

看着气喘吁吁的赛格罗，奈莉只是小声地说了一声"好"。

她似乎只能这么说，因为赛格罗已经穿上了她织的酒红色毛衣，而且，这件毛衣穿在他身上很好看。

看着还有些愣神的奈莉，赛格罗笑了。

"今天真冷啊，下次你得给自己织一副手套。"

"下……下次织。你不嫌弃的话，我给你也织一副。"

"真的吗？我好开心啊！"

为了不重蹈覆辙，奈莉急忙问赛格罗：

"你想要什么颜色的手套？"

"让我想想……我想要灰色。"

"灰色？"

"是的。我之前就很喜欢灰色，而且，灰色的手套一定跟这件毛衣很配。"

看着赛格罗的笑脸，奈莉也笑了笑。

"每种颜色都很好看。"她突然想到了色彩魔法师的话，心中十分赞同。

她觉得这句话说得对极了。

# 4

## 去除污渍的委托

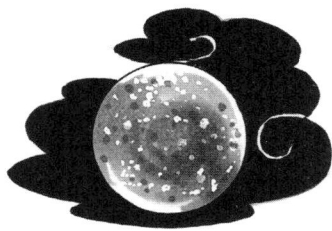

这一天，色彩魔法师阿靛非常高兴。

秋天快要过去了，他一大早跑到山野里转了一圈，把最后的枯叶色、芒草色、秋风色、橡子色、沉睡的栎树色、冰冷的池塘色……通通提取了出来。作为色彩魔法师，能从大自然中提取到这么多新颜色，他内心特别满足。

他正开心地将装着这些颜色的小瓶子摆到他的颜料架子上时，门外传来两下轻轻的敲门声："咚咚！"

"是有客人来了吗？阿靛，快去迎接吧。"

在魔法使帕雷特的催促下，阿靛急忙走到门口。在开门之前，他深吸了一口气。

每次去开门，阿靛都很紧张：来的会是什么样的客人呢？客人想要什么颜色呢？我能不能制作出让客

74

人满意的颜色呢？总之，阿靛每次开门前都要先酝酿一下情绪。

然而，今天门外站着的并不是普通的客人，而是同阿靛一样，是个魔法师。

"嘿，你好哇！你就是色彩魔法师阿靛？在下乃比比，也住在这条魔法街上。初次见面，请多多指教哇。"

眼前的少女向阿靛打了个招呼，不过她的声音有些沙哑，而且遣词用句十分奇怪。

她看上去比阿靛大几岁，留着一头长长的黑发，四肢都细细长长的，身材像芭蕾舞者一样纤细。她的脸型也偏瘦长，眼睛细细的，笑起来就像狐狸一样。她脸上还有不少小雀斑，这让她显得十分古灵精怪。

这位少女的穿着打扮也很奇特：她上身穿着一件缝着荷叶边的黑白条纹连衣裙，下身穿着一条蓝黄相间的条纹裤袜，脖子上戴着叮叮当当的大串珠项链，头上则戴着一个狐狸耳朵发箍。

同她混搭的穿戴一样，她整个人就像一股反复无常的旋风，让人感觉十分怪异。

不过阿靛已有心理准备，因为他曾听过比比的名字。

帕雷特也迅速反应过来，代替阿靛开口问道：

"您是天气魔法师比比吗？"

"是啊，你们认识在下？这是在下的荣幸。请问你是哪位哇？"

"我叫帕雷特，是色彩魔法师阿靛的魔法使。"

"原来如此，请多指教咯！"

比比笑着说，露出一口洁白的牙齿。

阿靛和帕雷特将比比请进屋内，给她端了一杯加了许多糖的欧蕾咖啡。在一派和谐舒适的气氛中，帕雷特开口问道：

"您来色彩屋有什么事吗？"

"嗯，在下遇到了一个小麻烦。在此之前，在下请教了十年屋先生，他告诉在下，这件事色彩屋能帮忙解决。"

比比说着，从随身携带的大包里掏出一件树莓色的大衣。它那柔软的羊毛质地配上领口和袖口的白色

绒毛，看上去十分精致。只是上面到处都是斑斑点点的深棕色污渍，不仔细看还以为这是一件有着斑点图案的大衣。

"哎呀，真糟糕！"

"嗯，在下不小心在家里放出了西北风。西北风大多挺淘气的，在下放出的这股尤其喜爱恶作剧。它把在下手中装热可可的杯子吹翻了，结果这件大衣就变成这样了。所以在下来找你们，看看能不能补救。"

比比请求阿靛给她的大衣重新染个颜色。

"拜托了，帮帮忙吧！这可是在下最喜欢的大衣，穿起来舒服极了，实在舍不得扔。"

阿靛和帕雷特互相看了看对方，噗的一声笑了出来。

比比丈二和尚摸不着头脑。

"咦，在下说了什么好笑的事吗？"

"啊，没有，没有。不是您以为的那样，实在对不起。最近我们店来了一位和您有着一模一样烦恼的客人，我和阿靛没想到世界上竟会有如此巧合的事，就忍不住笑了出来。"

"嗯？和在下有同样的烦恼？"

"是的，那位客人也希望我们把他朋友衣服上的污渍消除掉。啊，对了，那位客人给我们的颜色说不定您会喜欢呢。阿靛，快拿出来给比比看看。"

"嗯。"

阿靛立刻从架子上取下一个小瓶子。

小瓶子里装满了鲜艳的绿色颜料。这是一种比祖母绿淡一些的绿色，清澈透亮，还有许多泡泡在其中闪着光。比比看得眼睛都亮了。

"真漂亮！这是什么颜色？"

"蜜瓜汽水色。"

"在下最喜欢蜜瓜汽水了！在下决定了，就要这个颜色。蜜瓜汽水色的大衣，光是想想就觉得心痒痒。不过，在下想听听蜜瓜汽水色的主人来色彩屋的故事。他怎么会来这里？他买了什么颜色呢？"

"那我就给您说说吧。嗯……这是发生在上周的事。"

帕雷特开始讲述事情的经过。


你最喜欢喝什么饮料？

要是有人问七岁的小尹这个问题，他一定会毫不犹豫地回答："蜜瓜汽水！"

和其他饮料相比，蜜瓜汽水既好看又好喝：淡绿色液体很是清爽，从杯底咕嘟咕嘟冒上来的银色气泡则充满神秘感。若在蜜瓜汽水上加一层冰激凌和一颗樱桃，喝起来更是别有一番风味。

要是每天都能喝上一杯就好了。然而，小尹只有去餐厅吃饭，或是去参加聚会时才能喝到。所以对他来说，蜜瓜汽水是非常特别的饮料。

不过，比起蜜瓜汽水，小尹更喜欢他的邻居娜娜。

没错，娜娜是小尹在这个世界上最好的朋友。她活力十足，风趣幽默。小尹和娜娜意气相投，不管是抓虫子还是玩泥巴，又或者是别的什么游戏，两个人都能玩到一起，而且娜娜经常双眼发亮地对小尹的提议拍手叫好。

对小尹来说,每天都能和娜娜一起玩真是太棒了。

有一天,他们所在的社区要举办花园聚会。听说主办方会提供蜜瓜汽水,小尹期待极了。

"娜娜说她更喜欢草莓冰激凌,我真是理解不了,肯定是蜜瓜汽水最好。"

两人要一起去参加聚会,所以小尹跑去娜娜家找她。

小尹敲了敲门,娜娜立刻开门迎接。可看到娜娜的装扮时,小尹大吃一惊。

娜娜今天打扮得非常淑女:像鸟窝一样乱蓬蓬的头发不见了,取而代之的是精心打理过的精致发型,上面还别着粉色和黄色的发饰。她身上穿着一条优雅的蜜桃色连衣裙,脚上穿着一双亮闪闪的漆皮皮鞋。

"嘿嘿,今天妈妈帮我打扮了一下,你觉得怎么样?好看吗?"

娜娜害羞地笑了笑,看起来既漂亮又可爱。

但是小尹愣在了原地。紧接着,他开始感到害怕。

娜娜变了。虽然她这样打扮很漂亮,但是她一旦变成那种爱美的女孩子，肯定就不想再和我一起抓虫子、玩泥巴了吧？不行，绝对不行！

于是，小尹故意说：

"真不怎么样。你这身打扮真奇怪，一点儿都不适合你。"

"什么？"

娜娜的笑容瞬间消失了。

我必须这么说。无论如何都要说这样不好看。我必须让娜娜变回原来的模样。

快停下，别再说了！

小尹内心深处有两个声音在对峙着，但最后他选择忽视那个阻止他的声音，继续嘲讽道：

"啊，我真失望，没想到娜娜你这么爱臭美。抱歉，你穿得这么淑女是不能和我一起玩游戏的。"

眼看娜娜快要哭出来了，小尹更烦躁了。要是平时，娜娜早就开口反击，或者直接就冲他扑过去了。可今天怎么会这样？

我不想看到她这副可怜的样子。我说的话是不是太过分了?

小尹心里这么想,脱口而出的却是:

"我先走了。我可不想和爱臭美的女孩子一起参加聚会,太丢脸了。"

小尹说完就转身跑了。或许因为穿裙子不方便奔跑,又或许因为心里难过,娜娜并没有追上来。

快变回从前的娜娜,追过来吧!

小尹暗暗祈祷着,一口气跑到了聚会场地。

聚会已经开始了。会场播放着欢快的音乐,精心打扮的大人们快乐地跳着舞,孩子们围在桌子前吃着蛋糕和其他美食。

小尹拿了一杯自己期待已久的蜜瓜汽水,坐在树荫下喝了起来。然而,他这会儿觉得蜜瓜汽水一点儿都不好喝。明明对它期盼已久,喝到嘴里却感觉它卡在喉咙里,怎么都咽不下去。

他满脑子想的都是快要哭出来的娜娜。

我对娜娜说了很过分的话。我不应该那么说的。等娜娜来了,我就给她道歉。嗯,我要告诉娜娜,其实她穿连衣裙的样子非常好看。

小尹下定决心向娜娜道歉。可他左等右等，却不见娜娜过来。

这时，他看到了娜娜的妈妈，急忙跑过去问道：

"阿姨，您好。娜娜呢？她去哪儿了？"

"啊，是小尹啊，你好。真不好意思，娜娜做了错事，我罚她待在家里哪儿都不许去。"

"做了错事？"

"是啊，难得给她穿一次连衣裙，她却把衣服上搞得满是泥点子。真搞不懂那孩子，明明给她穿上的时候，她还挺高兴的，谁知道转头就做这种事。"

娜娜的妈妈一边说着，一边困惑地摇了摇头。

小尹很清楚，这完全是自己的错。正因为我说了那些过分的话，娜娜才将裙子弄脏。娜娜这么做是想告诉我，就算她穿了裙子也能和我一起玩泥巴！

小尹感到心口有些抽痛，难受得几乎喘不过气。

他急匆匆地向娜娜家跑去，连手中的蜜瓜汽水也忘了放下。他要去向娜娜道歉，他要去邀请娜娜一起参加聚会。

然而，等小尹跑到娜娜家的庭院里时，他突然停下了脚步——他看到娜娜家的晾衣竿上挂着一条蜜桃色的连衣裙。

娜娜的妈妈应该已经尽力清洗过了，可是连衣裙上还留着许多明显的泥点，看样子已经不能再穿了。

我为什么要那样说她呢？要是这些泥点能消失就好了。我要想办法把裙子清洗干净，再给娜娜送来。

小尹陷入了沉思。这时，他看到一缕缕白烟从娜娜家大门的缝隙里冒出来。

难道着火了?! 娜娜还在屋里呢!

"娜……娜娜！"

小尹急忙朝着大门飞奔而去。

幸好门没锁。小尹推开门，发现屋内满是白烟，他看不清走廊，也看不见通向二楼的台阶。不过，他既没闻到呛人的气味，又没有窒息的感觉。

小尹发现这并不是烟，而是雾。就在这时，他看到白色的雾中有几个清晰的小脚印：第一个是粉色的，第二个是蓝色的，第三个是红色的……每一个脚印的颜色都不一样。

这些脚印肯定是娜娜的恶作剧，是娜娜为了引我过去而故意留下的。

小尹放下心来，跟着五颜六色的脚印向前走去。

然而，他并没有在脚印最终消失的地方见到娜娜。在那里等着他的，是一个看起来比他大一些的小男孩和一只会说话的变色龙。

他们将小尹邀请到木桶造型的房子里，又给他端来坚果曲奇饼干和牛奶。然后，他们告诉小尹这里是色彩魔法师的家。

"魔……魔法师找我干什么？"

变色龙帕雷特看着面露惧色的小尹说：

"您说反了，是您想找色彩魔法师。请问您有什么需求？"

"我……我找魔法师？"

"对啊，只有需要色彩魔法的客人才能开启这条魔法通道。您是不是遇到了与颜色有关的难题？"

被帕雷特这样一提醒，小尹一下子反应过来了，他将自己对娜娜说的那些话以及娜娜弄脏连衣裙的事一股脑说了出来。

帕雷特听完后，朝自己的脑袋上拍了一下。

"哎呀，您说了那么过分的话啊。"

"嗯……我也觉得自己很过分。"

连腼腆的阿靛也点头同意。小尹忍不住哭了出来。

"我……我知道自己做错了。呜……呜呜……我想向娜娜道歉，我想让那件连衣裙变回原样。既然……既然你是色彩魔法师，那你一定能消除那件连衣裙上的污渍吧？"

"阿靛的魔法并不能消除污渍，但他可以将连衣裙染成别的颜色。这样应该也可以让娜娜高兴吧？"

"应该……可以吧。"

"嗯，阿靛制作的魔法颜料非常神奇。快去架子那儿瞧瞧吧，说不定能找到娜娜喜欢的颜色。要是没有也不要紧，阿靛会为您制作出您想要的颜色。"

小尹被帕雷特催促着，走到安在墙上的架子前。

只见架子上摆了几十个——不，几百个小瓶子，每个瓶子中都装着不同颜色的颜料，每种颜色都令人心驰神往。

娜娜最喜欢的颜色会是哪种呢？

小尹瞪大双眼，认真挑选着。终于，他找到了。

那是一种像太阳一样明亮耀眼的黄色。小尹看到这种颜色，顿时觉得浑身充满了力量，心情也变得愉快不少。

它就像娜娜给我的感觉一样。这是属于娜娜的颜色。

"这个！我要这个！"

"哦，这是夏日第一朵向日葵的颜色。您选了一种很棒的颜色。"

"夏日第一朵向日葵的颜色啊……"

这的确是向日葵的颜色。在烈日炎炎的夏日盛放的向日葵，就是娜娜给人的感觉！小尹越想越高兴：娜娜和这种颜色太相称了，她一定会非常喜欢。

帕雷特开心地说：

"原来娜娜是与这种颜色相称的女孩子啊，真不错！我大概知道了，她一定健康活泼，非常可爱。"

"是的，你说得没错，娜娜就是这样的！"

"原来如此。那您快把这种颜色送给她吧。对了，您回去之前，要先付一下报酬。我们不要钱，只需要客人您留下一样东西，让阿靛从中提取新的颜色。"

小尹感到有些为难。因为今天是去参加聚会，所以他的口袋里什么都没放。要是平时，他总会装一些玩具或糖果之类的。

该怎么办呢？这时，小尹才注意到自己手中拿着的那杯蜜瓜汽水，还剩大半杯没喝完。

"这……这是我喜欢的蜜瓜汽水，把这个给你们可以吗？"

只要能让娜娜开心起来，就算喝不成蜜瓜汽水也无所谓。

阿靛开心地接过小尹递来的蜜瓜汽水。

"这种颜色真棒……我一定能从中提取出漂亮的颜色……"

"太好了，阿靛。这位客人，快收下这瓶向日葵色的颜料吧。"

"谢谢！"

小尹握紧手中的瓶子，匆匆忙忙地离开了色彩屋。当他回过神时，他已经站在了娜娜家的门口。

小尹跑到院子里的晾衣竿前。裙子已经晾干了，却依然惨不忍睹，漂亮的蜜桃色布料上还隐约能看到不少黑乎乎的泥印子。

娜娜，对不起，真的对不起。

小尹一边在心里默默道歉，一边从晾衣竿上取下连衣裙，在上面滴了一滴瓶子中的黄色颜料。

滴答。

滴落在连衣裙上的颜料像水中的涟漪一样散开，眨眼间，整条连衣裙就变成了明媚的向日葵色。

多么明亮的黄色啊！简直就像一个闪耀的小太阳一样鲜艳夺目。

"娜娜，喂，娜娜！"小尹大声叫着。

二楼的窗户打开了，娜娜探出头来。她刚刚应该哭得很伤心，眼睛和脸颊都红红的。看到小尹手中的黄色连衣裙，她一下子瞪大了眼睛。

"小……小尹，你手里拿的是什么？"

"是你的连衣裙！我把裙子上的污渍弄掉了。你快下来，穿上这条连衣裙，和我一起去参加聚会吧！"

"你不是说不想和穿连衣裙的我一起玩吗？"

"那……那是我在说谎。那个，刚才真对不起。因为你打扮得和平时完全不一样，我害怕失去你这个好朋友，所以才故意说那些话的。"

"害怕？为什么？"

"我……害怕你会说你更喜欢玩女孩子的游戏，再也不想和我一起玩了……"小尹红着脸，一个劲儿地道歉，"对不起，让我说多少次对不起都可以。总之，你先下来，再穿一次这条连衣裙。它一定非常适合你，因为这是属于你的颜色。这可是我从魔法师那里拿到的哟！"

"魔……魔法师？"

"是的！哎呀，我有很多话想和你说，你快下来吧！"

"……"

娜娜想了一会儿，然后默默地将头缩回了窗户里。

失败了吗？……娜娜还是不想原谅我吗？

小尹懊悔至极，沮丧地垂下了头。

不一会儿，娜娜从楼上下来了。虽然她还是板着脸，眼睛里却带着藏不住的笑意。看来她真的很喜欢这件夏日第一朵向日葵色的连衣裙，而且对魔法师的事情也很好奇。娜娜忍不住问小尹：

"你在哪里遇到的魔法师？他是什么样子的？"

"我就是刚刚遇到的。他住的房子看起来像个木桶。他是个小孩子，肩膀上趴着一只会说话的变色龙。他家里有各种颜色的颜料……"

小尹将一切都告诉了娜娜。

最后，他小心翼翼地问：

"那个……你原谅我了吗？"

"原谅你了。"

"真……真的吗？"

"嗯，我已经不生气了。"娜娜终于露出了笑脸，"听到你说你用自己最喜欢的蜜瓜汽水给我换了这种向日葵色，我就不生气了。而且比起之前的蜜桃色，我更喜欢这种颜色。走吧，我们一起去参加聚会！"

"嗯，好！一起去！"

"那我去把这件连衣裙换上。"

换上向日葵色连衣裙的娜娜，看上去就像太阳的孩子一样耀眼。

"怎么样？"

"太好看了！"

"你刚才不是还说我爱臭美吗？"

"不……不是这样的。你现在很好看！好啦，我们快走吧，蛋糕要被吃光了。"

娜娜开心地笑了，和小尹一起向聚会场地跑去。


帕雷特终于讲完了故事，天气魔法师比比忍不住用力鼓起掌来。

"哎呀！可真是一个好故事，真不错！"

"是啊。我们听了小尹的事，有点儿担心他能不能和朋友和好，于是悄悄跟了过去，默默地观察了他们一会儿。穿着向日葵色连衣裙的娜娜真的很可爱。"

"哈哈哈！在下最喜欢这种酸酸甜甜的故事了。没想到这瓶蜜瓜汽水色背后还有如此精彩的故事，在下更想要这种颜色了，那就选它吧。"比比说完，突然露出严肃的表情，"魔法师之间做交易，必须用魔法支付报酬。这条基本的规矩，你们应该知道吧？"

"嗯，十年屋先生之前和我们说过。"

"这样啊，那在下就不必多说了。在下付的报酬是一天的天气。你们想要什么样的天气呢？晴天、阴天，还是雾天？在下这里还有暴风雨和暴风雪的天气。"

阿靛思考了一会儿，小声问比比：

"您有淅淅沥沥的雨天吗？"

"有啊，你确定要这种天气吗？"

"嗯，我很喜欢雨天……"

"咱俩挺对脾气的，在下也喜欢雨天。"

比比说着，伸手捏住脖子上那串项链的一颗

珠子。

项链明明没有断，那颗珠子却被取了下来。

"给你。"

阿靛和帕雷特目不转睛地盯着比比递来的珠子。它看起来和雨滴差不多大，是灰色、天青色和蓝色混杂在一起的颜色。

"这就是淅淅沥沥的雨天？"

"是啊，不信你们好好看看里面。"

阿靛凑近一看，立刻被吓了一跳。

"怎么了，阿靛？"

"帕雷特，里面在下雨……"

"啊？"

"我看到珠子里面在下雨……"

"哇……让我也看看！哇，真的在下雨！好厉害！"

比比看到阿靛被吓了一跳的样子，小声笑了起来。

"你挑个日子把这颗珠子扔到空中，那一整天就会变成你喜欢的淅淅沥沥的雨天。那么，在下可以收下这瓶蜜瓜汽水色了吗？"

"请收下……"

"谢了，在下可以在你们店里染色吗？"

"可以的。对吧，阿靛？"

"嗯……"

比比说干就干。她兴高采烈地往大衣上滴了一滴蜜瓜汽水色颜料。顿时，颜料就像破裂的泡泡一样在大衣上弹跳着散开，很快，整件大衣就被染成了清新的绿色。

"哇，太棒了！冬天寒冷沉闷，在下正想穿这样一件明亮清爽的衣服呢！不错，真好看！"

比比迫不及待地穿上这件让人眼前一亮的蜜瓜汽水色大衣，然后离开了色彩屋。

第二天，阿靛试着将比比给他的珠子扔到空中，晴朗的天空立刻被乌云覆盖，淅淅沥沥地下起了小雨。

然而，穿着雨衣的阿靛丝毫不在意。他在雨中跳来跳去，制作了一个又一个新颜色：小雨色、落在窗户上的雨滴色、云雨色、水洼色、淋湿的青草色、雨后的彩虹色……

想要这些颜色的客人会是什么样子的呢?

阿靛一边想象,一边婉转悠扬地唱着魔法之歌。

# 5

## 猫头鹰特工和小男孩

一个淅淅沥沥的雨夜，一个婴儿被丢到了多羽孤儿院门口。

"不知什么时候,有人把这个婴儿放到了大门前！"门卫一边说，一边递给院长一个大篮子。

多羽孤儿院的院长伊弘揉了揉眼睛，伸手接过门卫递来的篮子。

经常有人把弃婴送到孤儿院门口，这并不是什么稀奇事，只是他希望弃养者下次别再挑这种扰人睡觉的时间。

伊弘一边想，一边往篮子里瞅了一眼。

篮子里躺着一个差不多十个月大的婴儿。孩子有着可爱的脸庞和柔软的淡金色鬈发，非常惹人怜爱。他白白胖胖的，看上去很健康，身上穿的衣服也非常整洁，一点儿都不像被人遗弃的样子。

这个孩子说不定是被人偷来的。

伊弘突然冒出了这个念头。他又仔细地检查了一遍篮子，发现了一本绘本和一封信。信中这样写道：

"我出于某些原因无法养育这个孩子。他叫阿靛，在他觉醒之前，就拜托您照顾了。"

好奇怪的信。还有，"觉醒之前"是什么意思？

最让伊弘震惊的是，信封里还有一大笔现金。

他慌慌张张地将钱塞进自己的口袋，暗自窃喜。

虽然不知道遗弃这个孩子的人是谁，但他一定是个有钱人。也许有一天，那个人会来孤儿院接走这个孩子。为了那一天，我必须好好养育这个孩子，我要让他亲口对来接他的人说："院长对我非常照顾。"

伊弘一时间心情大好，他又翻了翻绘本，期待从里面找出更多的现金。

这是一本自制的绘本，没有书名，也没有署名。里面画了许多动物，可是都没有上色。

绘本里面没有放现金，这让伊弘有些失望。他调整了一下心情，将婴儿抱在怀里。

"阿靛，欢迎你来到多羽孤儿院。从现在开始，这里就是你的家了。"

伊弘把负责照顾婴儿的希亚叫醒，将阿靛交给她。


八年后的春天，一个叫阿时的女人来到了多羽孤儿院。

她站在孤儿院大门前，深吸了一口气。

阿时今年四十五岁，照顾这所孤儿院里的孩子们是她的新工作。

然而，来到孤儿院第一天，她就不由得叹了口气。

这里的房屋破败不堪，却不见有人修理；在去院长办公室报到的路上遇见的孩子，看上去不是十分忧郁，就是面带不满；老师们也一个个百无聊赖，工作时都无精打采的。整个孤儿院的空气就像凝固了一样，氛围阴沉沉的。

唉，这里不行啊。阿时心想。

从给她引路的梦纱老师的只言片语中，阿时渐渐明白了事情的原委。

原来这一切都是伊弘院长导致的。他私吞了孤儿院的经费，无论是漏雨的天花板还是发霉的床垫，他都视若无睹，从不出钱修理，更别说更换新的了。因为孤儿院拿不出钱，孩子们经常吃剩饭剩菜，甚至是快变质的食物。

"太过分了！没人举报他吗？"

"谁敢举报他？阿时老师，你初来乍到，还不懂这里的规矩。在多羽孤儿院，院长就是国王，没有人敢忤逆他。你也不想丢掉好不容易找到的工作吧？"

"可是……这样孩子们不是太可怜了吗？"

"孩子们已经习惯了，而且有的孩子之前待的地方比这里更可怕。这样一对比，这里的生活也不是不能忍受……"

阿时本想反驳几句，但又将话咽了回去。

现在还不到时候，暂时没必要引起争端，还是先多了解一下孤儿院的情况吧。

路过中庭时，阿时看到一个小男孩独自站在那里。

天上正下着淅淅沥沥的小雨。他虽然穿着雨衣和长筒雨靴，但一直一动不动地站在雨里，还是容易感冒。于是阿时想叫他进屋去。

但梦纱老师阻止了她。

"你不要管那个孩子，也最好不要和他扯上关系。"

"为什么？"

梦纱老师压低声音说：

"那个孩子叫阿靛，不知道为什么，院长挺在意他的。你看，他身上穿的雨衣雨靴都是院长买的，其他孩子都没有。有的孩子忌妒他，暗地里总是欺负他。"

"太过分了！明明是院长偏心，为什么要怪在他的头上?！"

"这个原因只占一半吧，那孩子本身也挺奇怪的。"

"奇怪？"

"他总是像那样一直盯着某种东西看，也不和大家说话，让人觉得有些可怕。而且只要有老师训斥他，院长就会把老师开除。我劝你最好别管他。"

然而，阿时做不到对阿靛不理不睬，因为阿靛看上去是那么孤独。一整天，阿时满脑子都是阿靛瘦小而孤单的身影。

我要做点儿什么，不仅为了阿靛，更为了整个孤儿院。

第一天的工作结束后，阿时回到宿舍，默默立下誓言。

距离阿时来到多羽孤儿院，已经过去了一周。个性开朗的她已经和孩子们打成了一片。

她用心记住每一个孩子的名字，并主动找他们说话，倾听他们的心声。有孩子感到孤单时，她会抱抱他、亲亲他；有孩子感到困惑时，她会认真倾听他的烦恼；有孩子做错事时，她会温柔地询问原因并安抚他。

阿时将每一个孩子都看作"独立的个体"。对一直被大人小瞧的孩子们来说，再也没有比这更令他们开心的相处方式了。仅仅一周，就连孩子中的捣蛋大王都会朝阿时撒娇了。

发生变化的不只是孩子，做事干脆利落、精神饱满充沛的阿时也感染了那些无精打采的老师，他们变得越来越有精气神了。

伊弘院长将经费与外界的捐赠都占为己有，所以多羽孤儿院几乎没有玩具和图书。但是，阿时相信他们可以利用身边的东西玩很多游戏。比如，她就用捡来的木材给孩子们做了秋千和跷跷板。

就这样，看似微小的改变让原本死气沉沉的孤儿院渐渐充满了孩子们的欢声笑语，这里的氛围也与从前截然不同了。

然而，阿靛却一点儿都没有改变。

每当阿时和他说话时，他总是低着头一言不发。当其他孩子在院子里开心地玩游戏时，他要么穿着雨衣站在中庭发呆，要么躲在房间的角落里盯着一本白色的绘本看。

那本绘本就是当时跟他一起被放在篮子里的绘本。对阿靛来说，绘本就像护身符一样重要，他每晚都要搂着它睡觉。

阿时对阿靛越来越在意了。

如果我多陪阿靛说说话，或许他就能对我敞开心扉了。

可阿时是所有孩子的"老师"，她分身乏术，无法只关照阿靛一人。

所以，阿时始终没能和阿靛有进一步的交流。这让她有些焦急。

直到一天晚上……

阿时估摸着大家都已经睡熟了，便提着灯走出自己的房间，来到厨房。快半夜了，厨房里肯定一个人都没有。

她将灯放在漆黑的厨房一角，然后探头看了看灶台上的大锅，锅里剩了许多今晚没喝完的豆子汤。

豆子汤黏糊糊的，上面覆着一层油花，还有一股说不上来的酸味，实在让人难以下咽。孩子们几乎都没喝完，所以剩了很多。然而，剩下的汤又会在明天被端出来。

"你们必须珍惜粮食，锅里剩的饭菜没吃完之前，不许做新的。"

这是伊弘院长的金规铁律。

但是，他自己却整天吃香喷喷的炖菜和大份牛排。

阿时叹了口气。她挽起袖子，准备拿锅。

这时，一个细小的声音传来。

"你在做什么呢？"

阿时吓得差点儿叫了出来。

她匆忙转过身，看到一个小小的身影出现在厨房门口。

竟然是阿靛！他虽然穿着睡衣，但外面还套着他那件雨衣，手中拿着绘本。

"阿靛，你怎么在这里？"

"我睡不着……本来想去中庭，却看到了老师……"

已经很晚了，阿时本应该对阿靛说"早点儿回去睡觉"，然而她犹豫了。

现在这里只有她和阿靛两个人，她终于可以和阿靛好好谈谈心了。更重要的是，这还是阿靛第一次主动和她说话。阿时不想错过这个机会。

"阿靛，其实老师想做一件秘密的事，你可以帮帮我吗？"

听了她的话，阿靛怯生生地凑了过来。

"'秘密的事'指的是什么？"

"就是这个。"

"豆子汤？"

"对。这锅豆子汤实在太难喝了，大家都不想喝，但是明天又不得不喝，所以我想把它做得好喝点儿。我正在想办法呢。正好你来了，你可以跟我一起做吗？要是被其他人发现了，我也会护着你。"

"好……"

"谢谢你，你真是个好孩子。那我先点火，把锅热一热。你去架子那边帮我找找香料好吗？我想要牛至、迷迭香，还有月桂。"

"好……"

深夜的厨房里，阿时和阿靛一起做着秘密料理。

阿时很喜欢做饭，尤其擅长将剩饭剩菜重新煮成好吃的大杂烩。

阿时往汤里倒了一些牛奶，又放了一些去腥的香料，最后加了少许白糖提味。

阿靛一会儿搅拌汤，一会儿往火里添柴，帮了不少忙。

经过阿时重新加工的豆子汤变得非常好喝，就连一向面无表情的阿靛也忍不住双眼发亮。

"看起来很好喝……"

"我们一人喝一碗当作夜宵，好不好啊？"

"可以吗？"

"嗯，你帮了我这么多忙，这是给你的回礼。老师看到其他孩子又把你的面包和饼干抢走了，你晚上几乎什么都没吃吧？所以你更要好好吃点儿夜宵。"

阿时递给一脸惊讶的阿靛一个大大的马克杯，又往里面盛满热乎乎的豆子汤。两人来到中庭，慢悠悠地品尝热汤。

吃到好吃的食物时，人的心情自然就会放松下来。阿靛喝着这美味的汤，终于露出了一个八岁孩子应该有的表情。

阿时斟酌了片刻，装作若无其事地问道：

"那个……阿靛，老师可以问你一件事吗？你为什么总在下雨天跑到中庭来呢？我知道你喜欢雨，可是你在做什么呢？在数雨里有多少雨滴吗？"

"不是的……"

"那你在做什么？可以告诉老师吗？"

"你肯定不会相信的……之前的老师都不相信我……"

"也许我会呢？阿靛，告诉我吧，你每次都在盯着什么看，在想些什么呢？"

"……"

"我向你保证，不管你说什么，我都不会生气或是嘲笑你，绝对不会。我只是想了解你。拜托了，告诉我好不好？"

阿靛沉默了一会儿。终于，他略显犹豫地指着脚边生长的小草说：

"老师，你看它是什么颜色的？"

"你是说草吗？我看它是绿色的。"

"嗯，可是我在小草上看到了不一样的颜色……一种比单纯的绿色更好看的颜色，我觉得这种颜色应该有一个不一样的名字……不对，不是我这么觉得，而是我知道就是这样！"阿靛突然变得有些激动。

他站起来，更坚定地说："除了小草以外，我在天空、云朵、小鸟和虫子上都看到了各种各样不同名称的颜色。人也有各自的颜色，有时候也很好看。我想要捕捉这些颜色，却不知道该怎么做，所以我才总是一个人想来想去，完全注意不到周围的声音。"

"原来是这样啊……"

阿时好不容易才说出这么一句话。

说实话，阿时不能完全理解阿靛说的话。但她现在知道了，阿靛能看到别人看不到的东西。而他整天为此苦恼，所以才总是注意不到别人说的话，让人觉得他心不在焉。

"那你为什么总在下雨天跑到中庭来呢？"

"因为雨特别好看。在雨中，我能看到各种各样的颜色，而且我总想弄明白它们的名字。在中庭这里看雨的时候，我感觉我就快要弄明白了。"

"那阿靛再告诉我一件事吧，你为什么总拿着这本绘本呢？"

"因为我能听到绘本中的声音。"

"什么声音？"

"'给我涂上颜色吧'之类的。我感觉它在召唤我，让我给它涂上好看的颜色。"阿靛说着说着，突然就要哭起来，"大家都不相信我……还说我奇怪，说我脑子有问题。阿时老师，你也这么想吗？"

阿时忍不住一把抱住了阿靛。阿时觉得，如果她不这样做，阿靛似乎就要从这个世界上消失了。她是发自内心地怜爱这个孩子。

身边没有一个人相信自己，该是多么痛苦的事啊！阿时知道，只要有一个人愿意相信阿靛，他就会变得更有底气一些。

阿时抱着阿靛，发自内心地说：

"阿靛，我相信你说的话。我虽然不知道你眼中的世界是什么样子，但是我相信你能看到我们看不到的事物。"

"阿时老师……"

这是阿靛第一次体会到被人"相信"的滋味，他眼里顿时盈满了泪珠。正当他想对阿时老师笑一笑时，身子突然僵住了。

"老师……你在发光……"

"啊，我吗？"

"嗯，真好看……"

阿靛想要伸手抓住这没有实体的光，突然，他倒吸了一口气。

"怎么了？怎么了，阿靛？"

"老师，我听到了歌声……"

"歌声？"

"这是……属于我的歌。"

说完，阿靛就唱起了歌：

　　春天，在原野上采摘吧。

　　黄色油菜花、紫色紫罗兰。

夏天，在山林中寻找吧。

蓝色鸢尾花、黑色的莓果。

秋天，在大山中捡拾吧。

红色的落叶、金色的橡子。

冬天，在森林中搜索吧。

银色槲寄生、绿色的柊树。

我收集的无穷无尽的宝贝，

全都送给你吧！

我提取的众多色彩，

一定能满足你的期待！

伴随着歌声，阿靛淡金色的头发像晃动的火苗一般在空中舞动起来。他的发色不断变化，最终变成七种颜色，在夜空中闪闪发光。

阿时目瞪口呆地看着阿靛的头发，惊讶得一句话都说不出来。

啊，阿靛的发色变了……这是怎么回事？我怎么感觉拥有七色头发的阿靛才是他原本的样子呢？

正当阿时胡思乱想时，一束光聚拢在阿靛的手心，最后变成了一个小瓶子。

小瓶子中装着神秘的祖母绿色颜料，看起来温厚又高洁，沉静的色调像守护鸟兽的森林一样，宽广、深邃。

"阿……阿靛。"

"这是老师的颜色……'守护孩子们的灵魂'色。啊，我终于知道了一种颜色的名字……"

阿靛开心地笑了。

这时，之前掉在他脚边的绘本自行翻开，然后在某一页停了下来。

"啊！"阿靛轻轻地叫了一声，"我听到它说让我给它上色……"

"上色？是用这个瓶子里的颜料吗？"

"大概……嗯，一定是……"

阿靛打开小瓶子，将里面的颜料倒在这一页上。颜料在接触到纸张的瞬间，纸上画着的变色龙立刻膨胀起来，它伸展开那被染成翠绿色的身体，脱离了绘本。

变色龙刚一落地，就打了一个大大的呵欠。

"啊，这一觉睡得可真舒服啊！我听说要被封印在绘本中时，还吓了一大跳呢，没想到竟然可以睡得这么舒服。接下来……"变色龙看了看四周，很快将目光锁定在阿靛身上，"啊，这个头发！你就是阿靛吧？哇，没想到你这么快就觉醒了啊！我还以为要等到你十五岁呢。你现在多大了，七岁？"

"我……今年八岁……"

"是吗？那我们八年没见了。你还记得我吗？我叫帕雷特，是你的魔法使。"

"魔法使是什么？"

"魔法使是魔法师的朋友、伙伴和助手。我是来帮助你的！我已经苏醒，你以后什么都不用担心了，我会告诉你很多事，也会帮你解决很多问题。你很快就能以色彩魔法师的身份开店了……"

"等……等一下！"在帕雷特滔滔不绝地讲话时，阿时努力地插了进来，"你是谁？这一切究竟是怎么回事？"

"怎么解释好呢……简单来说，就是阿靛灵魂中沉睡的魔法觉醒了。"

"魔……魔法？"

"是的，阿靛是魔法师。"帕雷特开心地继续说道，"根据预言，阿靛会成为一个色彩魔法师。可是，我们不知道他的魔法什么时候才能觉醒。我们决定先让他在人类的世界中长大，因为……阿靛的父母在意外中去世了，抚养他的奶奶也因病倒下了。"

"奶奶……？"

"阿靛，你那时候还小，应该不记得她了吧？她虽然不是魔法师，但一直用心照顾你，是个很好的人。是她拜托封印魔法师将我封印在这本绘本里，让我在你身边守护你的。"帕雷特的声音变得有些忧郁。

当阿靛制作出第一种颜色时，封印就会解开。

"没想到你才八岁，作为魔法师的力量就觉醒了。契机是什么呢？"

"大概是阿时老师说的话……"

"啊，我吗？"

119

阿靛望着阿时老师，点了点头，说：

"因为老师刚才说相信我。我一直因为其他人的话而觉得自己很奇怪，也因此变得很胆小。可是，刚刚听到老师说相信我，我的心一下就放松了⋯⋯所以，我才能看到老师身上的光，听到魔法之歌⋯⋯"

因为周围人的评价，阿靛变得越来越胆怯，所以选择将自己封闭起来。而阿时温暖的话语就像钥匙一样打开了阿靛的心扉，并让他的魔法之力觉醒了。

阿靛变成魔法师了，接下来会发生什么呢？

阿时感到有些不安，她问帕雷特：

"阿靛接下来会怎么样呢？"

"他会和我一起搬到黄昏横町二丁目去，那里是魔法师开店的地方。既然阿靛的魔法之力已经觉醒了，他就必须以魔法师的身份开一家店。"

"开⋯⋯开店？我能开一家商店吗？⋯⋯"

"没问题的。阿靛，你能创作颜色，可以将颜色作为商品出售，一定会有很多客人来买。你现在又有了我，所以不用担心，一定会很顺利的。我们现在就动身吧，阿靛？”

"……"

阿靛没有立刻允诺。他不舍地看着阿时。

阿时立刻读懂了阿靛的内心。

阿靛想去黄昏横町二丁目，想立刻和帕雷特一起飞去那个魔法世界，但只要我阻止他，他就不会反抗，而会继续作为普通人类生活下去。可是对阿靛来说，究竟怎样才是最好的安排呢？

阿时苦恼了许久，最后她决定听从心里的声音。

"作为老师，作为一个成年人，我本来应该阻止你的。怎么可以让一个未成年的孩子自己在外面生活呢？但我知道你并不想留在孤儿院。我也认为，这里并不是你的世界。离开这里，到你的世界去吧。"阿时朝阿靛微微一笑，"要走就趁现在，趁着大家都还在睡觉，你们悄悄离开吧，剩下的事交给我就好。"

"阿时老师……我们还能再见面吗？"

"一定会的。对了，等老师想要某种颜色的时候，就去你的店找你，怎么样？老师希望你能好好生活，做出许多好看的颜色。等老师去找你，好不好？"

"阿时老师，一言为定……谢谢你。"

阿靛紧紧地抱住阿时，阿时也紧紧地拥住了他。

其实我真不舍得让阿靛离开，我希望像照顾自己的孩子那样一直守护在阿靛身边。可是，阿靛不需要我这么做。他已经拥有了魔法，还有一个叫帕雷特的魔法使在身边守护着他。我不能将已经长出羽翼的小鸟拖回地面。

阿时忍住泪水，松开了阿靛。

"好好保重，我们一定会再见的。"

"嗯！"

阿靛将帕雷特放到肩上，轻手轻脚地离开了。

阿时站在原地，目送着他瘦小的背影渐渐远去。直到阿靛完全消失在黑夜中，阿时还站在那儿，一动不动。

她在内心虔诚地祈祷着，希望阿靛找到属于自己的世界，遇到很多好人，收获许多幸福。

第二天一大早，多羽孤儿院陷入一片混乱。

"阿靛不见了！"

"不会是被拐卖了吧？"

"不可能，一定是他自己逃走了。"

"必须立刻把那孩子找回来。"

"但是去哪里找呢？"

"拜托城里的居民们帮帮忙吧。"

老师们乱作一团，阿时则径直冲进了院长办公室。

"院长，现在必须赶快通知警察，拜托他们寻找阿靛。"

"不……不行……不可以！要是报警，我就完蛋了。"伊弘低声嘀咕。

对伊弘来说，被公众知道孤儿院丢了孩子是莫大的耻辱。而且警察来孤儿院调查的话，一定会看到这里破败不堪的房子，没有书的图书室和穿着破旧衣服、营养不良的孩子们。万一警察产生怀疑，开始调查孤儿院的资金情况，后果将不堪设想。

伊弘狠狠地瞪了阿时一眼。

"好了。我非常了解阿靛。我对他那么好，他也一定记在心里，很快他就会自己回来的。这里毕竟是他的家。"

"那您的意思是不去找他？"

"我只是说没必要，更不需要联系警察。"

"是吗？我就知道你会这么说。"

阿时的眼神冷了下来，仿佛变了一个人似的。她拍了拍手，很快，六个穿着黑色制服、军人打扮的男人冲进了院长办公室。

伊弘大吃一惊。

"这是……怎么回事？你们是谁？就这么突然冲进来，也太失礼了！"

"这些人是我叫来的。伊弘院长，其实我并不是普通老师，我的真实身份是猫头鹰特工。"

"什……什么？"

伊弘吓得脸色发青，阿时则一脸平静地继续说道：

"你知道吗？猫头鹰特工的使命就是找到那些管理不规范、苛待孩子的孤儿院，并对其进行纠正和管理。我来多羽孤儿院的目的正是调查这里的情况。对待孩子如此恶劣的孤儿院，我还是第一次见。而我的调查结果是，所有问题都出在你身上，伊弘院长。"

"不，我……那个……"

"不要狡辩了！我是目击者，也是证人，而且如果我去拜托孩子们，他们也一定会为我提供证词的。糟糕的食物、漏雨的天花板、多年不换的床垫……这些都是证据。更有力的证据是，这么多年来，你私吞的钱款可不少呢！"

"你不要污蔑我，我没有做过这种事！"

"你的红色笔记本呢？可以解释一下里面的账目是怎么回事吗？"

"你……你为什么会知道这些？"

伊弘慌慌张张地拉开办公桌的抽屉，可里面空无一物——红色笔记本不见了！他顿时脸色煞白。

看着呆滞的伊弘，阿时厉声说道：

"怎么不说话了？不过，没关系，我已经搜集了足够的证据，完全可以将你送进监狱。院长，请跟我们去警察局吧。"

伊弘放弃了抵抗，失魂落魄地被带出院长办公室，而外面已经有警车在等着他了。

阿时目送他们离开，暗自松了一口气。

伊弘院长已经落马，接下来要做的就是和其他猫头鹰特工一起重建多羽孤儿院。虽然失踪了一个孩子，可是警察、媒体和群众的注意力现在都集中在院长伊弘的贪污案上，他们应该不会注意到这件事。阿时希望阿靛能趁机走得远远的，希望他可以露出幸福的笑容。

想到这里，阿时突然想到了孤儿院的其他孩子。

"对了，孩子们该吃早餐了，我得赶快去告诉他们，以后再也不用喝难喝的汤，再也不用吃发霉的面包了。"

猫头鹰特工阿时又变回了普通老师的样子，脚步飞快地向餐厅走去。

尾声

莎娜走在路上，心情非常愉快。

距离她将公寓的墙壁换成天蓝色已经过去了半年时间。也是从那时起，她的生活发生了令人惊喜的转变。

莎娜重拾画笔。她用自己喜欢的风格，自由自在地在画纸上画下五颜六色的动物和植物。不管画的是什么，她总会在画纸的某个地方滴一滴从色彩魔法师那里拿到的天蓝色颜料。

也许是魔法为她带来了好运，她的画大受好评，有很多人找她画画，最近还有出版社的编辑向她发出了创作绘本的邀约。

真幸福，再也没有比这更幸福的时刻了。

莎娜一边想着，一边向商场走去。这时，瓦罗突然出现在她面前。

半年不见，他看上去憔悴了许多。

"啊，莎娜！我一直想见你，我命中注定的人。"瓦罗夸张地半跪下来，像演戏一样自顾自地说了起来，"我真是个傻瓜！莎娜，只有你能理解我的艺术。啊，莎娜，莎娜……我现在只有你了。要是你想和我结婚，我会非常乐意。我们重新一起生活吧，重新住到那间公寓去吧！对了，我已经很久没吃过你做的饭了……"

瓦罗滔滔不绝地讲着，莎娜被他吓了一跳。她好不容易才回过神来，开口问瓦罗：

"我可以这样理解吗？你和未婚妻分开了，所以才想和我重归于好？"

"是的，刚才我不就一直这样说吗？反正你离开我也不可能过得好，不是吗？"

莎娜被瓦罗自负的样子惊呆了。

真是一个自私的男人。

莎娜气得想扇他一百个耳光，但又打消了这个念头，因为打他会弄疼自己的手。于是，莎娜发自内心地说：

"不好意思，我不想和你这种肤浅的人在一起。"

"肤……肤浅？"

瓦罗顿时脸色发青，他的嘴巴像金鱼吐泡泡那样开开合合，却说不出话来。对像他这样自高自大的人来说，再也没有比这更伤人的话了。

莎娜将瓦罗甩在身后，潇洒地离开了。

虽然瓦罗说的话让她非常生气，但她也干脆利落地反击了回去，这感觉真是太爽了。不过，没有必要再在瓦罗身上花心思了，也不必再回忆过去。她想起自己本来是要去商场买香水的，因为她昨天不小心将香水瓶摔碎了。

莎娜将瓦罗抛到脑后。她在街角处拐了个弯，刚拐过去，就看到了一片白色的浓雾。

"咦？"

莎娜还没反应过来，雾气就将她包围了。

她的心怦怦直跳。

这片浓雾和她之前去色彩屋时遇到的非常相似。也许，她又一次踏上了通往魔法世界的路。

莎娜开始在雾中寻找那些彩色脚印，可找了半天都没找到，不过她看到了一栋造型奇特的房子。

这栋房子看起来就像一个巨型针线盒，屋顶有一堆巨大的毛线球，外墙上覆盖着无数颗纽扣，就连门也是圆圆的纽扣的样子。

这时，门开了，一位打扮奇特的老婆婆从里面走了出来。老婆婆头戴一顶大大的帽子，帽子上装饰着针、剪刀、毛线球、线轴，她的连衣裙上缝着很多纽扣，像鳞片一样密密麻麻的。她正透过厚厚的眼镜片看着莎娜。

"欢迎光临。这位客人，欢迎来到改造屋。"

"您也是魔法师吗？"

"哎呀，你这么快就发现了啊。你还去过其他魔法师的商店吗？"

"嗯，之前去过一次。"

"那我就不用多做解释了。想必你已经知道，这次来我店里的道路是专门为你开启的。快进屋看看吧，我今天摆出了许多新商品，你一定能找到心仪之物。"

莎娜听从老婆婆的话，走进了这栋像针线盒一样的房子。只见里面有各种各样的玩具、首饰、时尚衣服和包包，还有数不胜数的小摆件，琳琅满目，闪闪发亮。

"哇！太漂亮了！"

"哈哈哈！这是我引以为豪的小店。那边桌子上放的就是我今天摆出的新商品，你先去那里看看吧。"

莎娜走到那张桌子前，忍不住倒吸了一口气。

桌子上有一个圆形的小瓶子，似乎是个香水瓶，瓶身上有深粉色、绿色和黑色组合起来的锯齿状图案，让人联想到西瓜。瓶盖顶端有一个雨滴形状的装饰，看上去非常别致。

莎娜对这个香水瓶一见钟情，她拿起来看了又看，再也不想放下它。

"我……我想要这个。"

"啊，你想要它啊，嗯……"

不知为何，老婆婆仔细地打量起莎娜的脸，又看了看香水瓶。莎娜感到有些不安。

"那个……可以把它卖给我吗？"

"当然可以了。你喜欢它，我很高兴。"

"太好了！多少钱呢？"

"你不需要支付任何报酬。"

"啊？"

"我店里的规矩是以物易物。客人选择一样商品，我就收下客人一件不要的东西，再把它做成新的商品放在店里售卖。"

"哦……既然这样的话，我也得给您一件我不需要的东西才行。"

"你什么都不用给，因为我已经从你那里拿到你不需要的东西了。这个香水瓶就是用它做成的。"

"啊？"

"哈哈哈，人与物品之间的缘分真是妙不可言。好了，快把这个香水瓶带回去吧，这次希望你能好好珍惜它。"

老婆婆说完，将一脸惊讶的莎娜送到店外。

当莎娜回过神时，她已经回到了自己刚才所在的街道，而她手中正拿着那个别致的香水瓶。

"怎么回事，这个香水瓶原本就是我的吗？啊，不可能，我完全没有印象。"

莎娜虽然不知道其中的缘由，但还是将香水瓶放进了包里。不管它是用什么东西做的，我都要好好珍惜它。

　　改造屋的都留送走莎娜后，开心地笑了。

　　"哎呀，也不知道那位客人能不能发现这瓶香水是用什么东西做的。哈哈，对了，我一定要把刚才发生的事告诉色彩屋的小魔法师。等会儿我就去阿靛的店里坐坐，顺便买几种颜色吧。"

　　都留自言自语了一会儿后，拿着抹布擦起了店里的玻璃。

"IRODORIYA: JUNENYA TO MAHOGAI NO JUNINTACHI 2"

written by Reiko Hiroshima, illustrated by Miho Satake

Text copyright © 2020 Reiko Hiroshima

Illustrations copyright © 2020 Miho Satake

All rights reserved.

First published in Japan by Say-zan-sha Publications, Ltd., Tokyo

This Simplified Chinese edition published by arrangement with

Say-zan-sha Publications, Ltd., Tokyo in care of Tuttle-Mori Agency, Inc., Tokyo,

through Pace Agency Ltd., Jiang Su Province.

Simplified Chinese translation copyright © 2024 by Beijing Science and Technology

Publishing Co., Ltd.

**著作权合同登记号  图字：01-2024-0405**

**图书在版编目（CIP）数据**

色彩屋 /（日）广岛玲子著 ;（日）佐竹美保绘 ;
任兆文译 . -- 北京：北京科学技术出版社，2024
(2025 重印). --（十年屋与魔法街的朋友们）. -- ISBN
978-7-5714-4067-1

Ⅰ . I313.85

中国国家版本馆 CIP 数据核字第 20242WX464 号

| | |
|---|---|
| 策划编辑： | 梁 琳  张心然 |
| 责任编辑： | 刘 洋 |
| 责任校对： | 贾 荣 |
| 封面设计： | 包荧莹 |
| 图文制作： | 天露霖文化 |
| 责任印制： | 吕 越 |
| 出 版 人： | 曾庆宇 |
| 出版发行： | 北京科学技术出版社 |
| 社 址： | 北京西直门南大街 16 号 |
| 邮政编码： | 100035 |
| 电 话： | 0086-10-66135495（总编室）  0086-10-66113227（发行部） |
| 网 址： | www.bkydw.cn |
| 印 刷： | 保定市中画美凯印刷有限公司 |
| 开 本： | 889 mm×1194 mm  1/32 |
| 字 数： | 67 千字 |
| 印 张： | 4.5 |
| 版 次： | 2024 年 9 月第 1 版 |
| 印 次： | 2025 年 5 月第 2 次印刷 |

ISBN 978-7-5714-4067-1

定 价：35.00 元